JN069392

誰もが働いて幸せになる

エル・チャレンジのもやいなおし

大阪知的障害者雇用促進建物サービス事業協同組合 編著

ラグーナ出版

発刊にあたって

2019年に改正された大阪府ハートフル条例は、欲張りにも二兎どころか「三兎」を追っています。一兎は、障がい者雇用を就職困難者全体の就労支援として位置付けています。二兎は、雇用や福祉政策を公契約要件に定義付けています。三兎は、行政の福祉化から大阪の福祉化へと広げる中間支援の育成を掲げています。

条例施行から二年も経っての書物の発刊となったのは、新型コロナ感染症が主因でした。発刊中止も頭によぎりましたが、むしろ、コロナ後にこそ手に取ってほしいと再考し、ようやくの発刊に至りました。

コロナ後、就職困難者は増え、いや急増しているかもしれません。就労支援を大阪府の条例にしたことの意味が試されます。障がい者が拓いた就労支援が、すべての人々に活かされていく、そうありたいものです。

コロナ禍で自治体は国の先を走ったと思います。その分、効率性偏重も修正を求められます。だからと言って、旧態依然への元の木阿弥では、財源が懸念されます。「競争」は全否定されませんが、「共生」も探究されるべきです。ハートフル条例の公契約指標が再評価されるはずです。本書では、それを法定雇用率に代わる「共生雇用率」とネーミングした仮説も述べています。

大阪府は「行政の福祉化」と「慎ましやかに」都市格形成を宣言し、20年来の実践を重ねました。ハートフル条例は、それを「大阪の福祉化」と価値化したのです。先駆だと思います。コロナ禍で、幾多の犠牲と忍耐、葛藤を体験しました。だからこそ、大阪の都市格として、福祉は見直されなければなりません。

遅ればせのご挨拶になりますが、エル・チャレンジは、1999年６月の創設から20周年を超えました。この書物は、その記念誌を企図していますが、コロナ禍の折、穏やかな振る舞いに心がけたつもりです。エル・チャレンジの20有余年が「関係の営み」、エル・チャレンジそのものが「関係の所産」であったことを読み取っていただければ幸いです。

2021年6月

大阪知的障害者雇用促進建物サービス事業協同組合代表理事　冨田一幸

誰もが働いて幸せになる　エル・チャレンジのもやいなおし —— 目次

第2部
エル・チャレンジの20年

第1部

就労支援条例を実現した障がい者雇用

～これまでとこれから～

第１章　解いてみよう橋下難問

１　公立病院が障がい者を解雇

2015（平成27）年11月、事件が起こった。大阪市立総合医療センター（大阪市都島区）の新しい経営主体となった地方独立行政法人が、病院清掃業務で実施されてきた総合評価一般競争入札制度（以下、総合評価入札）を廃止し、一般競争入札制度に変更すると通告したのだ。この病院の清掃業務には７人の知的障がい者が働いていた。入札変更に伴って、７人の障がい者は解雇の危機に直面することになったから一大事だった。７人はみなエル・チャレンジの就労支援を経て就職していた。朝日放送はこの事件をいち早く察知し報道した。

知的障がい者就労支援団体「エル・チャレンジ」の訓練を受けてきた和泉陽子さんは、大阪市立総合医療センター（以下、医療センター）で清掃の仕事している。過去に幾つかの仕事を転々としてきた和泉さんはようやく自分の居場所を見つけ、10年間働いてきた。しかし、医療センターの方針転換で仕事を失う恐れが出てきた。これまで病棟の清掃は入札で業者が決定し、総合評価入札により障がい者雇用をする業者を優遇してきた。しかし、来年以降、入札価格のみで決定することになる。陽子さんの父親の建治さんは「せっかくここまで来たから娘がこのまま気持ちよく仕事させてもらえたらありがたい」と語った……。（2016（平成28）年３月４日朝日放送キャスト特集）

２　エル・チャレンジと橋下市長

事件を知ったエル・チャレンジは素早く行動した。そして、医療センターの法人元である、地方独立行政法人大阪市民病院機構に直接の抗議行動を展開した。久しぶりに横断幕を掲げて行進もした。その模様はテレビでも報道された。その頃橋下市長はほとんど毎日記者会見をしていた。事件を取材した記者がさっそく質問してくれたのはありがたかった。橋下徹市長（当時）は、「障がい者雇用は絶対に切っちゃいけない」「総合評価入札でやるよう（法人）に要請する」と、即座に答弁してくれた。

しかし、法人は市長の要請に応じなかった。というか、ブレーキをかけるには時間が足りないまま、一般競争入札は強行されてしまった。そして、７人の障がい者が雇用されている従前事業者とは違う別の事業者が落札してしまった。

法人は、事前の説明不足を詫び、７人を別の現場で法人の直接雇用にしたいと持ちかけてきた。大阪市から独立したこの法人は、その時点（2015年11月）で法定雇用率を満たしていなかったのだ（15人不足）。しかし、エル・チャレンジは、この申し入れを断り、あくまで「職場に戻せ」と主張した。その後、橋下市長の強い要請もあって、法人は、総合評価入札に戻すと約束した。若干の混乱はあったが、結果として、７人は元の職場で医療センター法人職員として働き続けることになった。

３　解雇の背景に「民営化」

エル・チャレンジは、この事件の顛末を、以下のように総括した。

病院現場での障がい者雇用のハードルは高かったが、病院での清掃業務はエル・チャレンジが済生会病院の協力を得て、入り込みの職域開拓で練り上げた、自慢の「職場」だった。医療センターでの総合評価入札を経て、受注事業者と障がい者、そして、共に働く人々とによってそれを根付かせてきた。「自分たちの職場」は病院を支える仕事だという主張は揺るがなかった。７人の障がい者は、信念を曲げずによく頑張った。

この頃、自治体では指定管理者制度や地方独立行政法人等、経営主体の変更（民営化）が顕著だった。この事案では、自治体から民営化された経営主体が、自治体の政策から独立できると「早合点」してしまった。しかし、民営化の是非の議論はさておき、民営化にも「ルール」は必要である。エル・チャレンジは、ここを迫った。

大阪市の直営であった大阪市民病院（総合医療センター等３病院）は、2014（平成26）年、「市民病院の自律性・機動性・透明性を高め経営基盤をより安定させ、良質な医療を効率的・効果的に提供する」ことを目的に、地方独立行政法人大阪市民病院機構に移行したもので、「民営化」ではなく、あくまで大阪市の理念や政策が継承されるものであった。

４　効率化と福祉化の両立

地方独立行政法人大阪市民病院機構は、清掃・設備・警備などを一つの契約に集約する総合管理方式による一般競争入札をやるつもりだった。この方式なら、事務手続きや縦割りをなくし効率化を図れると考えていた。しかし総合管理方式の場合、応募する事業者は、国家資格や業登録など資格を持つ者が複数人必要となる。そのため大手企業しか入札に参加できなくなる。結果、少数の企業による競争入札になってしまう。それはそれで良いのだが、大手企業の障がい者雇用実績は低く、法定雇用率より高い雇用実績を求める大阪市の総合評価入札制度には対応できないと予想された。だから、価格重視の一般競争入札制度に変更してしまおうとしたのが今回の事案だった。

「効率化と福祉化は両立できるか」、たとえ「難問」でも逃げてはいけない課題だった。

「急ごしらえ」の地方独立行政法人とて法定雇用率の枠外ではない。だからと言って、法定雇用率達成を理由に、障がい者に「急ごしらえ」の現場をあてがうというこの事案は、障がい者の働く価値をあまりに軽んじる本末転倒でもあった。

たしかに、発注者である法人にとって、総合評価入札制度で受注事業者が障がい者を雇用しても、発注者の雇用率には換算されない。法定雇用率の早期達成を急ぎたい法人の気持ちも理解できないことはなかった。エル・チャレンジは、法定雇用率を取引事業者と折半するなど、国に制度設計の見直しを求めてはどうかなどの問題提起もしながら、法人と折衝を行ってきた。

この事件の頃、橋下市長はもう退任を公表しており、いわば最後のトップの判断だった。見事な采配だったが、「効率化と福祉化の二兎を追え」と言い残した。ボク（冨田）は、当時、これを「橋下難問」と命名して、「解いてみよう！エル・チャレンジ」とコラム紙に書いた。福祉の側も「効率化」議論を逃げないという決意だった。

エル・チャレンジは、今回の、法人の障がい者排除、総合評価入札制度の放棄は暴挙であると抗議しながら、問題の根の深さに直面した。効率性と福祉の両立のためには、次の打つ手が必要であると認識した。まだ漠としていたが、「条例」のイメージが膨らんでいった。そんな事件だった。

第２章　大阪府ハートフル条例の改正

1　原案はユニバーサル就労条例

2019（平成31）年４月１日、大阪府ハートフル条例（大阪府障害者等の雇用促進等と就労の支援に関する条例）が改正され、施行された。

大阪府ハートフル条例は、そもそも2010（平成22）年に施行されていた。大阪府と関係がある事業主に、法定障がい者雇用以上の障がい者を雇用しているか否かを確認するために、障がい者の雇用状況を知事に報告することを義務づけ、法定雇用率を下回っている場合、達成のための計画書の提出を求めた。未提出あるいは虚偽の報告をした場合、企業名を公表することも定めた。大阪府は、雇用率を達成していない企業とは契約しないことを宣言する、それがハートフル条例だった。

だからと言って、今回の改正は、改正議論が先にあったわけではなかった。20年続いてきた「行政の福祉化」という大阪府の独自政策の検証を大阪府社会福祉審議会に委嘱し、審議会が行政の福祉化推進検討専門部会（以下、専門部会）を設置、これを検討した。同時に、専門部会は、生活困窮者自立支援法が制定されたことなども踏まえ、障がい者以外の就職困難者の状況と施策のあり方も検討した。その結果、新しい条例の必要性を認め、これを知事に提言することになった。

専門部会に大阪府の事務方が提出したそもそもの原案は行政の福祉化条例（仮称）という名称だった。専門部会は、これをユニバーサル就労条例（仮称）というネーミングに変えた。いわば、今回の条例改正は、新しい条例、すなわちユニバーサル就労条例を、これまでのハートフル条例に合体させるというものになった。ユニバーサル就労条例という新条例ではなく、現行ハートフル条例を改正するという最終の判断は、松井一郎知事（当時）によるものであり、それが大阪府議会によって議決された。

２　障がい者等就職困難者へ

大阪府ハートフル条例は、主に３点で改正が行われた。その３点は、ユニバーサル就労条例（仮称）の主訴とも重なっていた。

１つ目の改正点は、支援対象者を「障がい者」から「障がい者等就職困難者」に拡大することだった。

改正された条例の前文には、「さらに障害者だけではなく、働く意思と能力がありながら様々な事情により働く事ができない状態にある人たちが、自らの能力を発揮するため働く場を求めてきたが、こうした人たちにも働く機会が十分に提供されているとはいえない状況である」と書き加えられた。

以下、目的（第１条）、基本理念（第２条）等において、「障害者」が「障害者その他の就職することが困難な者」あるいは「障害者等」に書き換えられた。事業主の責務（第４条）でも、「障害者以外の就職することが困難な者について、雇用の機会の創出及び拡大を図るとともに、一人一人の事情に配慮しながら働きやすい職場環境を整備し、府が実施する施策に協力するよう努める」と書き加えられた。

「障がい者」を広く「就職困難者」と書き換えると、障がい者施策が「薄まる」のではないかと懸念する声もあったが、条例は「障がい者等就職困難者」と規定することで、この懸念を打ち消した。むしろ、「障がい者」が施策上障害者手帳を所持する者と狭く解釈されている現状にあって、条例が、障がい者とは手帳所持の有無に係わらないとの認識を共有することになった。

３　公契約で就労支援

２つ目の改正点は、総合評価入札など公契約を活用した就労・雇用支援を恒久化することだった。

大阪府ハートフル条例第２章の「障害者等の雇用の促進等と就労の支

援に関する施策」は、具体的な施策の進め方を規定する章だ。まず、その第12条の１において、「障害者支援施設等からの物品の買い入れ等」に、「母子家庭の母及び父子家庭の父の就業支援団体等、生活困窮者就労訓練事業を行う者からの物品の買い入れや役務の提供を受ける」を追加し、障がい者等就職困難者を支援する施設や事業体への優先発注を奨励した。

そもそも、2013（平成25）年に障害者優先調達推進法が施行されていた。この法は、国や自治体による障がい者就労施設等からの物品や役務の調達において、基本方針の策定や実績の公表を定めたものだ。一方で、地方自治法施行令第167条で定めた公契約の随意契約の対象が、シルバー人材センターや障がい者支援施設のみならず、母子家庭や生活困窮者支援事業体等にも拡大したことを踏まえて、優先発注の奨励を規定した。

また、第13条で、「府は障害者以外の就職することが困難な者について、採用の機会を創出及び拡大に向けた環境整備を図るよう努めるものとする」と書き加えられた。府が直接に職員として雇用するにあたって、障がい者だけでなく、就職困難者にも門戸を開放し、必要な環境整備も図らなければならないと規定した。

そして、第12条の２に公契約等の活用を追加した。これまで府が、「府を当事者の一方とする契約」において、「総合評価一般競争入札等を活用することにより、事業主が障害者等の環境整備支援組織の活用その他の障害者等の雇用の促進等と就労の支援に資する取り組みを行っていることを勘案するものとする」と書き加えられた。「勘案する」という意味は、「総合的に（考え合わせた）」という意味だ。つまり、総合評価入札の導入が合理的であったこと、効果も確認できるること、しかも、そこには中間支援組織の役割があったことなどを、いろいろ考えあわせて、条例に書き加えることになった。

また、この規定は、第12条の２の２で、「指定管理者の指定をするため、公募の方法により事業主を選定する場合に準用する」と書き加えられた。

これによって、障がい者のみならず広く就職困難者の施設等を対象に、随意契約や一般競争入札、さらには指定管理者選定にまで広げた公契約活用の就労支援方策が条例化された。

４　職場環境整備等支援組織を認定

条例の３つ目の改正点は、障がい者等当事者を雇用しようとする企業を両面から支援する職場環境整備等支援組織の認定を定めたことであった。

第11条の２で、「知事は、障害者等の特性、事情等に配慮した働きやすい職場環境の整備等に資するため、障害者等及び事業主を支援する法人その他の団体であって、知事が定める基準に適合するもの（以下、「障害者等の職場環境整備等支援組織」という）を認定するものとする」と書き加えられた。

さらに、認定にあたっては「障害者等の職場環境整備等支援組織認定等審議会の意見を聴かなければならない」、また、「障害者等の職場環境整備等支援組織に対し、当該支援の状況に関し報告を求め、必要な指示をすることができる」こと、及び「障害者等の職場環境等整備支援組織の認定を取り消す」こともできると規定した。

そして、条例の末尾の附則において、「障害者等の職場環境整備等支援組織認定等審議会」の設置を書き加え、審議会の役割を「障害者その他の就職することが困難な者の働きやすい職場環境の整備等に関する専門的な事項についての建議に関すること」と記した。

以上が、今回のハートフル条例改正の概要である。要約すると、①旧ハートフル条例とユニバーサル条例（仮称）が合体して改正ハートフル条例となった。②条例の支援対象者を「障がい者」から「障がい者等就職困難者」に拡大した。③総合評価入札制度や指定管理者制度、優先発注など公契約活用の就労支援方策を条例化した。④職場環境整備等支援組織の認定と条例推進の審議会の設置を定めた、ということだった。

5　大阪府議会での議論から

大阪府では、広野瑞穂議員（おおさか維新の会）が、とてもわかりやすく府民にも語りかけるような議会質問をしていただいたので、紹介しておきたい。（平成30年10月4日定例本会議）

広野瑞穂君

先日、中央省庁における障がい者の雇用率の水増し問題が報道されました。国の行政機関全体で、平成29年6月1日現在、6,867人の障がい者を雇用とされておりましたが、そのうちの3,460人は水増しでした。自治体におきましても、大阪府警本部におきまして、平成24年度から29年度において延べ189人、本年度でも36人の水増しがあったと報道されました。府警の猛省を促すとともに、再発防止措置をお願いいたします。適所開発や雇用環境を整備しないまま、単に数合わせの障がい者雇用であってはならないとも思います。そこで、あらためて障がい者の雇用や就労支援のあり方について提案したく思います。

大阪府は、行政の福祉化による府有施設の清掃業務での知的障がい者の就労訓練を行うことにより800人を超える就職を実現し、総合評価入札を導入することによって、延べ600人を超える雇用を創出し、総合評価入札参加企業の雇用率も年々伸びており、10％に届く企業も誕生していると伺っております。大阪府のこの取組が全国に広がるよう、行政が総合評価入札のような制度を実施した場合、発注者の行政機関と受注者の民間企業が雇用率をシェアするような仕組みを国に提案しても良いのではないでしょうか。

現状、法定雇用率を達成できない場合、不足している障がい者一人につき月5万円の納付金を納めることになっており、障がい者を新たに雇用するよりも、年間60万円の納付金を納める選択肢を選ぶ企業があることは事実です。平成29年度6月1日現在の大阪労働局資料によりますと、対象企業7,401社中法定雇用率を達成している企業は3,364社で、未達成4,037社のうち2,297社は障がい者雇用ゼロという現実があります。また、法定雇用率を達成している企業の割合は、昭和55年の50.7％から平成３年の57.5％をピークにして厳しいものとなっており、法定雇用率の引き上げで義務づけても、景気に影響されたり、雇用に当たっての環境整備の課題も多く、数値が大幅改善されるには、まだ時間を要すると考えられます。現在、企業が、障がい者施設や在宅就業の障がい者に仕事を発注した場合に奨励金を支給する制度も、府内の実績は年間数件にとまっています。障がい者施設への発注を促進するためには、企業からの発注額に応じて、法定雇用率のみなし雇用として加算する等の抜本的な制度の見直しが必要であると考えます。発注者と受注者の関係も含めて、障がい者雇用奨励日本一をめざすために、福祉部長のご意見をお聞かせください。

また、大阪府は、ハートフル条例でハートフル企業顕彰や、府との契約関係のある事業主に、障がい者の雇用状況の報告や雇い入れ計画の作成を求める府独自の取り組みを進めております。一方、行政の福祉化も同様に、府庁の雇用促進に加え、中間支援組織を活用した定着支援のためのさまざまな取組を行っています。私は、ただ単に障がい者雇用率を上げるためではなく、障がい者が働き続けることが一番重要だと考え、大阪府から新しい障がい者就労支援のあり方を発信していくべきではないかと考えています。そこで、ハートフル条例に行政の福祉化の理念や総合評価入札など府が行っている仕組みを盛り込むことで、民間の事業者などの障がい者雇用の取組をさらに充実させることができれば、国の制度改革にとっても大きなインパクトを与えられると考えていますが、福祉部長のご意見を聞かせてください。

福祉部長岸本康孝君

府が、長年試行錯誤し、効果を上げてまいりました取組は、民間事業者等の障がい者雇用促進にとっても有効であると考えております。また、昨年度、府社会福祉審議会でも、行政の福祉化の取組を大阪全体に広げ、大阪の福祉化をめざすべきとの御提言をいただいたところです。今後、民間事業者においても、雇用率達成にとどまらず、職場定着が進むような取組が展開できますよう、関係部局と連携しながら検討を進めてまいります。

第３章　大阪府ハートフル条例の意義

1　障がい者雇用の大阪目標

改正ハートフル条例で、大阪府は、障がい者等就職困難者の雇用への強い意志を示すことになった。

大阪府ハートフル条例は、法定雇用率さえままならない現状を憂いて、大阪府自らアクションを起こしたもので、大阪府は雇用率未達成事業者とは取引しないと宣言し、未達成事業者には早期の達成計画の提出を求め、未提出又は虚偽の報告をした場合、契約を取消し、事業者名も公表するという「強権発動」を条例で定めたものだ。

もう一つ、ハートフル条例と同時に大阪府が事業化したのがハートフル税制だった。これは、障がい者雇用の促進及び職業の安定を図るため、法人事業税を軽減するというものだ。特例子会社や重度障害者多数雇用事業所に、大阪府独自の障がい者多数雇用中小法人の認定が定められた。この「中小法人」とは、雇用労働者数が100人以下の法人だ。その法人の内、45.5人未満なら２人、45.5人以上91人未満なら３人、91人以上100人未満なら４人の障がい者を雇用することで認定される。そして、認定された法人の法人事業税が9/10に減免される（軽減額に上限がある）という仕組みになっている。

当時の橋下徹知事は、「この条例と税制で、大阪を障がい者雇用日本一」にすると宣言した。2009（平成21）年のことだった。

ところが、大阪府では、すでに1999（平成11）年から「行政の福祉化」と銘打った副知事をトップにした部局横断の庁内プロジェクトを設置し、自らの発注事業を洗い直したうえで、障がい者雇用を評価項目にした総合評価入札を実施していた。その評価点では、法定雇用率の遵守は当たり前で、その３倍まで加点され、入札当該現場での雇用率指標は

10倍にまで設定されていた。一見、法定雇用率と総合評価入札雇用率という「二重雇用率」に見えた。そして、条例に定められた法定雇用率が優位に見えて、戸惑いを感じた事業者もいたかもしれなかった。

それが、今回のハートフル条例改正で一つになった。法定雇用率未達成企業とは取引しない、これは“法令”。雇用率の評価は法定の３倍まで、新しい入札現場では10倍まで評価し、総合評価入札で厚遇する、これは“奨励”。法令遵守と雇用奨励が一体となったことで、大阪府の意思が一目瞭然になった。法令遵守と入札制度改革という行政改革が連動することで、二重雇用率は、法令（ペナルティ）と奨励（インセンティブ）の二層の雇用率に整理され、解消されたというわけだ。

打ち明けた話、専門部会では、改正条例の話はまったく出ていなかった。それより、ユニバーサル就労条例という仮称が府民に理解されるだろうか、何より松井知事（当時）は、ユニバーサルという言葉の使用に難色を示していると伝えられていた。ボクは、大阪に観光客を呼び込んできたユニバーサル・スタジオ・ジャパン（USJ）になぞらえられるから、良い愛称だと思っていた。思い通りにはならなかったが、「ユニバーサルは大阪弁でハートフル」、それも良いかと思った。そして、法令（ペナルティ）と奨励（インセンティブ）の二層の雇用率を定めた条例、これは瓢箪から駒で良いと思った。松井知事の知事裁定は見事だと思った。

２　大阪版雇用モデル

条例改正によって、大阪府は「障がい者等雇用の自治体（公契約）モデル」を内外に示した。

そもそも、「行政の福祉化」とは、福祉施策は、福祉部局の制度施策の枠組みにとらわれない、福祉を基本に住宅や教育、労働など府政の各分野が連携して、障がい者等の自立支援につながる施策を推進する、というものだった。この考え方を20年続けてきた。その行政の福祉化のコア施策が、「（雇用に先立つ）就労支援の場の創出」と「（価格だけではなく雇用を競う）総合評価入札」だった。いずれも地方自治法及び施行令の解釈や、法（令）改正の機を捉えたものだった。

さらに、自治体発注事業の市場化や民営化、指定管理者制度や地方独立行政法人化でも、この行政の福祉化の意思は貫かれた。大阪市の医療センター事件で直接行動をやって良かった、橋下市長裁定も活かされたと思った。

だが、この行政の福祉化は、在野の福祉団体の「中間支援」と、ビルメンテナンス等民間市場の「自己革新（価格競争にのみ固執することなく、福祉に共感する）」なしには実現するものではなかった。ここも肝だった。

こうして、地方自治法を遵守しつつ、公共と福祉と民間の三者連携による公契約を活用した大阪版障がい者等雇用モデルは、ハートフル条例改正によってほぼ「完成形」に近づいた。その意味では、橋下知事が唱えた障がい者雇用日本一は、半ば達成されたといえるかもしれない。

３　一般労働市場への波及

条例改正によって、大阪府の障がい者等就職困難者雇用支援の建付けに一貫性ができた。

１つは、法定雇用率は義務付けで“法令遵守条項”。これに対して総合評価入札等による障がい者等就職困難者雇用は、企業による「自主的取組」を評価する“奨励（政策）条項”。前者では契約しないというペナルティを課し、後者では総合点に反映するインセンティブを付与するというものとなった。

２つは、自主的取組について発注者と受注者の対等な負担及び受注者間の公平な競争を担保するために職場環境整備支援組織の育成を定めた。

３つは、職場環境整備等支援組織を大阪府の認定機関とすることで、公契約参加企業のみならず一般労働市場への波及を企図した。

４つは、条例によって総合評価入札を恒久化することで、参加企業の意欲を喚起するとともに、審議会を設置することで、労働環境及び制度の変遷に対応するための発注者と受注者の対等関係を担保した。

打ち明けた話、ボクには少し不安があった。総合評価入札が政策であるうちは高くなれるが、政策である以上、いつまで続くか心配だった。総合評価入札が法制度（条例）になれば、なるほど長く続くことになるが、条例化作業の過程で低くまとまるのではないか、という不安であった。「政策は高いが続かない、しかし法（条例）は長く続くが低きに流れる」という、経験則的な不安だった。

しかし、取り越し苦労だった。結果は、高い政策が、長く続く条例にまとまることができた。時間（行政の福祉化20年、総合評価入札15年）が“氏神様”だった、率直にそう思った。

第４章　総合評価入札の意義

1　行政の福祉化20年の検証

大阪府は社会福祉審議会に諮り「行政の福祉化推進検討専門部会」を設置した。専門部会は、2017（平成29）年７月から2018（平成30）年３月まで４回開催され、「大阪府における行政の福祉化の推進のための提言」としてまとめられた。

行政の福祉化の名称を冠した大阪府庁内のプロジェクト会議が発足したのは、1999（平成11）年11月だった。

「行政の福祉化」とは、府政のあらゆる分野において、福祉の視点から総点検し、住宅、教育、労働などの各分野の連携のもとに、施策の創意工夫や改善を通じて、障がい者やひとり親家庭の父母などの雇用・就労機会を創出し、自立を支援する取り組みのことだ。

そもそも府庁内で行政の福祉化を言い出したのは中川和雄知事（1991年～1995年在任）が副知事（1983年～1990年）だった時で、それを横山ノック知事の時代の梶本徳彦副知事（1998年～2007年）が具体化した。そして、この行政の福祉化で雇用を創出できると提唱したのは中川治府議（当時改革おおさか所属）だった。

当時、大阪府は未曾有の財政危機にあった。一方、障がい者雇用とくに知的障がい者の雇用は遅々として進んでおらず、何らかの方策は必要でも、新規事業などの予算化は絶望的な状況だった。そこで、予算という袖は振れなくても、発注事業という袖を振れないかとの検討が始まった。しかし、発注事業は福祉政策担当部局のみならず府庁内全局にまたがっていた。そこから、種々の議論を経て、副知事がトップの部局横断のプロジェクトを発足させた。

そのプロジェクトが、現在まで５人の知事によって、20年間継続されてきた。そして、20年を経て、専門部会はあらためて行政の福祉化を総括する作業に取りかかった。

2　総合評価入札とは？

専門部会で、総合評価入札は、「費用対効果」の検証を受けた。その前提として、そもそも自治体の入札制度とはどういうもので、一般競争入札と総合評価入札はどこが違うのか、簡単に説明しておこう。

地方公共団体による調達は、その財源が税金だから、より良いもの、より安いものを調達しなければならない。そのため、地方公共団体が発注を行う場合、不特定多数の参加者を募る調達方法である一般競争入札が原則とされている。しかし、この原則だけでは結果として調達の目的が達成できない場合もある。そこで指名競争入札や随意契約による調達が例外的に認められている。また、より安いものを追及するあまり低価格による受注（ダンピング）が横行し、結果、地方公共団体にとって「安かろう、悪かろう」な調達になってしまうこともあるという反省から、低入札価格調査制度や最低制限価格制度や総合評価入札制度が新たに加えられた。度が過ぎた価格競争を抑制し、「より良い」もので「より安い」ものを調達できるよう、入札制度の弾力運用がはかられてきたのである。

法令に沿って解説する。地方自治法第234条の第１項は、契約は一般競争入札、指名競争入札、随意契約及びせり売りによって締結すると定め、第２項は、一般競争入札以外は「政令の定めるところ」に限定し、第３項で、予定価格の制限の範囲内で最低の価格をもって申し込んだ者を契約の相手方とするとしている。そこに但し書きがあって、政令の定めるところなら価格以外でも契約できるとなる。

その政令の定めるところを定めたのが地方自治法施行令第167条の10の２項で「予定価格の制限の範囲内の価格をもって申し込みをした者のうち、価格その他の条件が当該自治体にとって最も有利なものをもって申し込みをした者を落札者とすることができる」と定めている。そして、３項で、総合評価入札を行おうとするときは、あらかじめ、「当該総合評価一般競争入札に係わる申し込みのうち価格その他の条件が当該自治体にとって最も有利なものを決定するための落札者決定基準を定めなければならない」と定めている。さらに、４項で、落札者決定基準を定める場合、総務省令により学識経験者の意見を聴かなければならない、としている。

３　二重の履行目的

総合評価一般競争入札を庁舎や施設等の管理清掃業務の発注に導入したのは大阪府が全国で最初だった（2003（平成15）年）。

大阪府は行政の福祉化という政策目的を総合評価入札という手法に取り入れられないか議論した。発注物件はあくまで建物管理が履行目的であり、これと直接関係のない福祉を入札に盛り込もうという手法に先行事例はなかった。そして、法定雇用率遵守のみならず、当該現場での障がい者の配置予定人数を評価項目に入れ、かつ価格点数を50/100点にまで下げて過度な価格競争を抑制する仕組みが発案された。

この発案を可能にしたのがエル・チャレンジだった。府は1999（平成11）年に開館した大型児童館（ビッグバン）の清掃業務を、地方自治法施行令第167条２第１項第２号の規定による随意契約でエル・チャレンジに発注した。エル・チャレンジは、これを「雇用ではなく就労支援」つまり、おおむね１年単位で修了生を送り出す方式で運用した。その事業目標を“清掃のプロをめざす”としていた。これがなかったら、総合評価入札での障がい者雇用評価項目はなかった。

出来上がった総合評価入札の評価項目は見事だった。第１に、評価項目には、価格より建物管理の「質の競争」が想定されていた。環境への配慮等の項目も業務の質に深く関わるものだった。第２に、障がい者の雇用奨励といった項目は建物管理業務という直接の履行目的とは関係が薄く見える。しかし、障がい者の就労支援が府にとって喫緊の政策目的であることを考えれば、まさに履行目的そのものの評価項目となる。

「事実上、単一の業務に『もう一つの履行目的』が加わり、履行目的が二重に込められているとみることもできる、画期的な方法であった」（吉村臨兵著「公契約条例と政策目的を反映した入札」『経済学雑誌』大阪市立大学経済学会2015年２月28日）。

４　総合評価入札の費用対効果

総合評価入札は、法定雇用率より高い雇用率を設定しているのが特徴だ。当然、そのことによって自治体の支出が増えることになるのか。あるいは、自治体分を予定価格に積算してくれないと、企業が負担することになる。さらに、企業がその負担分を労働者に転嫁することになるかもしれない、そういう懸念が出てくる。

そうすると、論点の①は、そもそも法定雇用率は「固定的」なものなのか、あくまで「最低提示」で順次引き上げることを前提にしたものなのかとなる。論点の②は、仮に自治体が総合評価入札で支出を増やすことになっても、障がい者に市民の権利が確保され、かつ自治体の他の福祉施策より費用対効果が高くなっているかということ。論点の③は、次回以降入札において雇用率評価が低く変更されると、企業は職場環境整備コストを拠出しにくくなるが、単年度決算の自治体に方途はあるのかということ。論点の④は、法定雇用率より高い雇用率設定が一般労働市場に好影響を及ぼしているのか、及ぼすと予想されるのかということだ。

専門部会は、①は言わずもがなで、②を優先して検討し、③④こそ新しい条例で担保すべきと考えた。そこで、総合評価入札の費用対効果について、「行政の福祉化の取り組みに係る検証（社会的コスト推計）に関する調査検討業務報告書」（2017年12月）が、とりまとめられた。何だか随分“そろばん勘定”で大阪っぽいと思われるかもしれないが、これは避けられないことだった。５、６章でその報告書の内容を紹介する。

第５章　総合評価入札の費用対効果の検証

1　総合評価入札の落札率の推移と比較

大阪府が総合評価入札を導入している物件は、WTO（政府調達協定）対象物件（大規模物件）が10件、大規模物件より契約額が少額な物件（中規模物件）が８件[1]である。図１は、大阪府の総合評価入札（３年契約物件）の清掃業務について、予定価格、落札価格、落札率の変化をグラフ化したものである。

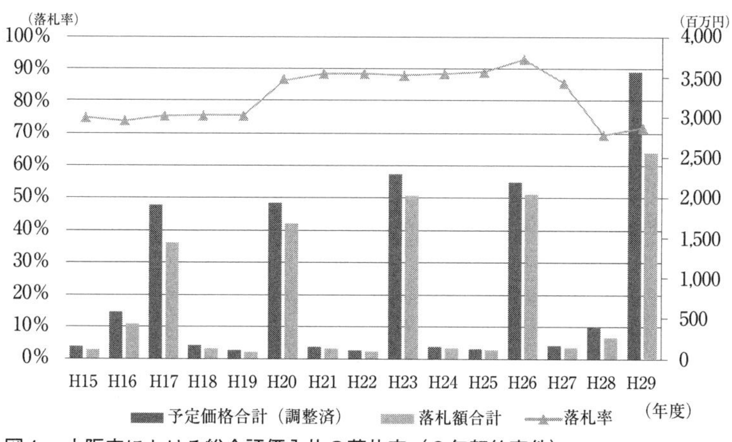

図１　大阪府における総合評価入札の落札率（３年契約案件）
（出典：大阪府提供資料、2017年12月）

落札率は予定価格に対する落札額によって計算されるが、総合評価入札における予定価格は、障がい者雇用を前提として管理コストを踏まえ

1 「平成27年度行政の福祉化の取組状況について（報告）」行政の福祉化推進会議事務局、2016年10月　http://www.pref.osaka.lg.jp/attach/9495/00000000/H27houkokusyo.pdf

人件費が高めに設定されている。そこで、ここでは他府県の同種業務落札率、大阪府の同種業務一般競争入札の落札率などと比較するため、人件費を通常物件の水準に調整した数値を予定価格として利用している。

総合評価入札が開始された2003（平成15）年度以降、70％台で推移していた落札率は2008（平成20）年度に一旦上昇し、2014（平成26）年度までに90％前後で推移、その後、再び70％に近い水準となっている。労務単価の見直しなどで予定価格が上昇すると落札率が低くなり、予定価格に変動がなくとも最低賃金が上昇すると落札率が高くなることから、総合評価入札においても、市場原理により落札価格が変動しているが推測できる。

実際に最低賃金（表１）は2007（平成19）年度以降、大幅に上昇しており、これが2008（平成20）年度の上昇に影響していることが確認できる（表１）。

表１　大阪府の過去の最低賃金

年度	最低賃金	発行日	前年比
H29年度	909円	2017/9/30	26円
H28年度	883円	2016/10/1	25円
H27年度	858円	2015/10/1	20円
H26年度	838円	2014/10/5	19円
H25年度	819円	2013/10/18	19円
H24年度	800円	2012/9/30	14円
H23年度	786円	2011/9/30	7円
H22年度	779円	2010/10/15	17円
H21年度	762円	2009/9/30	14円
H20年度	748円	2008/10/18	17円
H19年度	731円	2007/10/20	19円
H18年度	712円	2006/ 9/30	4円
H17年度	708円	2005/10/1	4円
H16年度	704円	2004/9/30	1円
H15年度	703円	2002/9/30	0円

（出典：厚生労働省、2017年12月）

なお、2003（平成15）年度から2017（平成29）年度までの15年間の平均落札率は81.3%である。他府県と比較を行う直近３年間の平均落札率は72.2%、大阪府の一般競争入札のデータを入手できた2006（平成18）年度から2017（平成29）年度の12年間の平均落札率は82.8%である。

大阪府と同規模の５府県の自治体の同種業務の落札率と比較を行ってみたところ（表２）、落札率のはばらつきがあり、大阪府が総合評価入札を行っていること自体で、経費が増加しているわけではないことがわかる。

表２　他府県の同種業務における平均落札率

	対象件数	平均落札率
A県	6件	88.9%
B県	4件	77.6%
C県	2件	37.8%
D県	2件	57.6%
E県	1件	80.0%
大阪府	19件	72.2%

データは各自治体に照会（入札情報速報サービス、2017年）

しかし、次頁の図２は、大阪府の同種業務の一般競争入札の予定価格、落札額、落札率の変化をグラフ化している。総合評価入札の落札率と同様に、予定価格、落札額、落札率のいずれも一定ではなく、年度によってばらつきがある。一般競争入札の2006（平成18）年度から2017（平成29）年度までの平均落札率は67.3%である。総合評価入札の同期間の平均落札率は82.8%であり、一般競争入札の落札率が低くなる傾向が確認できる。この一般競争入札と総合評価入札の落札率の差を総合評価入札の取り組みにかかる経費と設定してみる。

この経費を算出するため、2006（平成18）年度から各年度の一般競争入札の落札率を想定落札率として、これらに対応する年度の総合評価入札における予定価格合計（調整済）を掛けることにより想定落札額を試算、さらに実際の落札価格との比較を行った。表３は想定落札額と実際の落札額との差額、すなわち総合評価入札の取り組みにかかる経費を算出したものである。

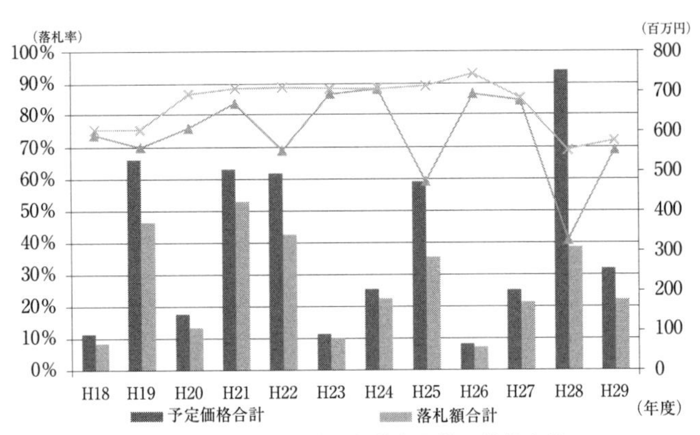

図２　大阪府における同種業務一般競争入札の落札率等
（出典：大阪府提供資料、2017年12月）

表３　想定落札額試算表　（単位：円）

年度	予定価格合計（調整済）	実際の落札率	実際の落札額合計	想定落札率	想定落札額合計	差額
H18	171,987,428	75.5%	129,832,187	74.0%	127,269,570	2,562,617
H19	109,675,016	75.5%	82,792,954	70.2%	77,002,073	5,790,881
H20	1,939,622,156	86.7%	1,682,265,417	76.1%	1,476,707,086	205,558,331
H21	150,654,300	88.7%	133,567,990	84.0%	126,527,867	7,040,123
H22	105,434,575	88.8%	93,574,226	69.0%	72,703,564	20,870,662
H23	2,301,140,525	88.1%	2,028,173,590	87.0%	2,001,992,438	26,181,152
H24	154,239,228	88.7%	136,871,512	88.4%	136,371,363	500,149
H25	133,376,089	89.2%	118,912,256	59.4%	79,262,408	39,649,848
H26	2,200,914,199	93.0%	2,047,405,465	86.9%	1,912,961,073	134,444,392
H27	171,144,323	85.7%	146,654,612	84.9%	145,231,408	1,423,204
H28	398,084,882	69.4%	276,145,684	40.8%	162,488,047	113,657,637
H29	3,567,665,044	71.9%	2,564,305,078	69.2%	2,469,735,191	94,569,887
合計	11,403,937,765		9,440,500,971		8,788,252,087	652,248,884

（出典：大阪府提供資料、2017年12月）

差額については、各年度で大きくばらつきがみられるが、12年間で652,248,884円の差が生まれている。これを平均すると、１年間で54,354,074円（小数点以下、四捨五入）の総合評価入札の取り組みにかかる経費がかかっていることになる。

また、図３は、総合評価入札と一般競争入札の落札率の経年比較であり、総合評価入札の方が相対的に高くなっているが、2011（平成23）年度、2012（平成24）年度、2015（平成27）年度ではほぼ同水準になっている。このことは、総合評価入札も一般競争入札と同様に市場原理による価格競争が起きる傾向にあると推察できる。すなわち、行政の福祉化の取り組みが清掃業務そのものの福祉化（障がい者雇用に関しての業界全体の取り組みが進むこと）を促しているとの見方も可能であり、今後、落札率の差異が縮小していけば、これらの推論を裏付けるものと思われる。

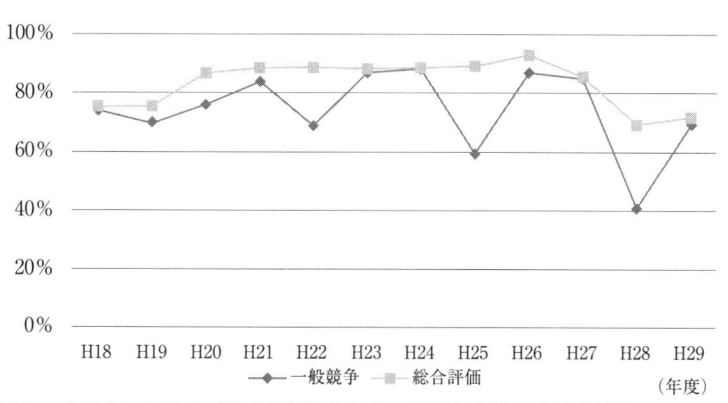

図３　大阪府における「総合評価入札」と一般競争入札の落札率比較
（出典：「行政の福祉化の取組みに係る検証　社会的コスト推計に関する調査検討業務報告書」2017年12月／大阪府提供資料）

2　障がい者が就労することによる一人あたりの利益の検証

次に、障がい者が、障害者総合支援法に基づくサービスを利用もしくは障がい者が一般就労しているケースについて、障がい者一人あたりの一ヶ月間の就労収入額、社会保障給付費、税・保険料収入の試算を行ったものが表４である。すべて単身世帯と仮定して試算している。また、障がいの程度によらず一律65,000円の障害基礎年金が支払われ、収入がない場合には生活保護費が支給されているものとして、その差額（行政コスト）を試算した（医療費扶助は考慮していない）。

表４　「社会保障給付費」および「税・社会保険収入」の試算表
（単位：円／月。小数点以下、四捨五入）

	就労収入	社会保障給付費			
		障害基礎年金	生活保護	障害者 サービス給付費	支出合計
就労移行支援事業所	0	65,000	45,390	131,603	241,993
就労継続支援B型事業所	14,000	65,000	31,390	96,181	192,571
就労継続支援A型事業所	69,000	65,000	0	100,145	165,145
無業者	0	65,000	45,390	0	110,390
障がい者就労（府委託先）	122,852	65,000	0	0	65,000
障がい者就労（一般）	108,000	65,000	0	0	65,000

	税・社会保険収入				
	社会保険	雇用保険料	所得税	住民税	収入合計
就労移行支援事業所	0	0	0	0	0
就労継続支援B型事業所	1,418	126	0	0	1,544
就労継続支援A型事業所	6,990	621	0	0	7,611
無業者	0	0	0	0	0
障がい者就労（府委託先）	12,445	1,106	1,825	3,650	19,026
障がい者就労（一般）	10,940	972	1,086	2,171	15,169

	差額 （行政コスト）
就労移行支援事業所	241,993
就労継続支援B型事業所	191,027
就労継続支援A型事業所	157,534
無業者	110,390
障がい者就労（府委託先）	45,974
障がい者就労（一般）	49,831

就労移行支援事業所へ通所している場合、社会保障給付費として障害

基礎年金、生活保護費に加え、事業所へ自立支援給付費が支払われ、障がい者の就労収入がないので税金・社会保険等の支払いはない。その結果、１人一月あたり241,993円の社会保障給付費すなわち行政コストがかかる試算となる。

就労継続支援B型事業所に通所している場合、障がい者の就労収入として14,000円程度が見込まれる。障害基礎年金、生活保護費に加え事業所への自立支援費が支払われ、当該収入から社会保険料と雇用保険料を法定料率にしたがって負担した場合、191,027円の行政コストがかかっている。

就労継続支援A型事業所に通所している場合、就労収入として69,000円程度が見込まれ、障害基礎年金と合わせると生活保護の受給対象から外れることになる。社会保障給付費から、社会保険料と雇用保険料の本人負担分を差し引くと、157,534円の行政コストがかかっている。

無業者（就労していない）の場合も同様の試算をすると、障害基礎年金と生活保護をあわせ110,390円の社会保障給付費がかかっている。

これに対して、障がい者が府庁清掃業務の委託先企業に就労しているB社に21名分の給与台帳をもとに平均賃金データを提供してもらったところ、122,852円になった。この収入から社会保険料と雇用保険料が支払われるとした場合、それぞれ、12,445円、1,106円の負担となる。所得税1,825円、住民税3,650円が課税される。これらを社会保障給付費として支払われる障害基礎年金65,000円から差し引くと、行政コストは45,974円である。

また。2013（平成25）年度障害者雇用実態調査によれば、知的障がい者の一月の平均賃金は108,000円である。当該収入から社会保険料10,940円、雇用保険料972円の負担があり、所得税1,086円、住民税2,171円が課税される。これらを社会保障給付費として支払われる障害基礎年金65,000円から差し引くと、行政コストは49,831円と試算される。

以上をまとめて、総合評価入札により障がい者が就労することにより一人あたりの利益（行政コストの削減）について、それぞれの場合との差額を一覧にしたのが表５である。就労移行支援事業所と比較して196,018円、就労継続支援B型事業所と比べて145,052円の行政コストが削減されている。また、就労継続支援A型事業所や民間企業における障がい者雇用就労の平均よりも一人あたりの行政コストが削減されてると推測される。

表５　障がい者就労（府委託先）との差額
（単位：円／月。小数点以下、四捨五入）

就労移行支援事業所	▲196,018
就労継続支援B型事業所	▲145,052
就労継続支援A型事業所	▲111,560
無業者	▲64,415
障がい者就労（一般）	▲3,857

さらに、大阪府の負担分だけに絞って試算したのが表６である。障害基礎年金は全額国庫負担、生活保護費、障がい者サービス給付費は1/4負担、住民税は4割が都道府県負担だが住民税は生じていない。結果、就労移行支援事業所の場合44,248円、就労継続支援B型事業所の場合31,893円、就労継続支援A型事業所の場合25,036円、無業者の場合11,347円が行政コストとなるが、一般就労している場合は、社会保障給付費より税・社会保険収入の方が大きくなる。

表６　社会保障給付費および税・社会保険収入の試算表（大阪府負担）　表４より再計算
（単位：円／月。小数点以下、四捨五入）

	就労収入	社会保障給付費			
		障害基礎年金	生活保護	障害者サービス給付費	支出合計
就労移行支援事業所	0	0	11,347	32,901	44,248
就労継続支援B型事業所	14,000	0	7,847	24,045	31,893
就労継続支援A型事業所	69,000	0	0	25,036	25,036
無業者	0	0	11,347	0	11,347
障がい者就労（府委託先）	122,852	0	0	0	0
障がい者就労（一般）	108,000	0	0	0	0

	税・社会保険収入				
	社会保険	雇用保険料	所得税	住民税	収入合計
就労移行支援事業所	0	0	0	0	0
就労継続支援B型事業所	0	0	0	0	0
就労継続支援A型事業所	0	0	0	0	0
無業者	0	0	0	0	0
障がい者就労（府委託先）	0	0	0	1,460	1,460
障がい者就労（一般）	0	0	0	868	868

	差額（行政コスト）
就労移行支援事業所	44,248
就労継続支援B型事業所	31,893
就労継続支援A型事業所	25,036
無業者	11,347
障がい者就労（府委託先）	▲1,460
障がい者就労（一般）	▲868

３　年間4,000万円の費用対効果

以上の調査結果を概括してみる。

まず、「総合評価入札による契約額」と「一般競争入札による契約額」の差額を「総合評価入札にかかる経費A」とする。次に、大阪府にとっての「社会保障給付費の削減」及び「税・社会保険収入の増加額」を「障がい者が就労することによって得た利益B」とする。

2006（平成18）年度から各年度の一般競争入札の落札率を総合評価一

般競争入札における予定価格合計を乗じることによる「想定落札率」を試算し、実際の落札価格との差額を計算したところ、12年間の経費は約６億5,200万円（１年間の平均経費は約5,400万円）となった。利益Ｂの算出は、府委託事業により就労した場合と福祉事業所（就労継続支援Ｂ型事業所）を利用した場合の行政コストの差額としたが、差額は145,052円（年1,740,624円）だった。これに、2016（平成28）年度１年間就労継続した障がい者54人に乗じた結果、１年間に障がい者が就労することによる利益は、約9,400万円と試算された。

結果、利益Bが経費Aを１年間で4,000万円上回った。それだけ行政コストが削減されたとの試算となり、総合評価入札の費用対効果が証明された。

なお、総合評価入札による障がい者本人の就労収入は約122,852円であり、Ｂ型事業所（14,000円）を10万円以上上回り、障がい者一般就労の108,000円も上回った。

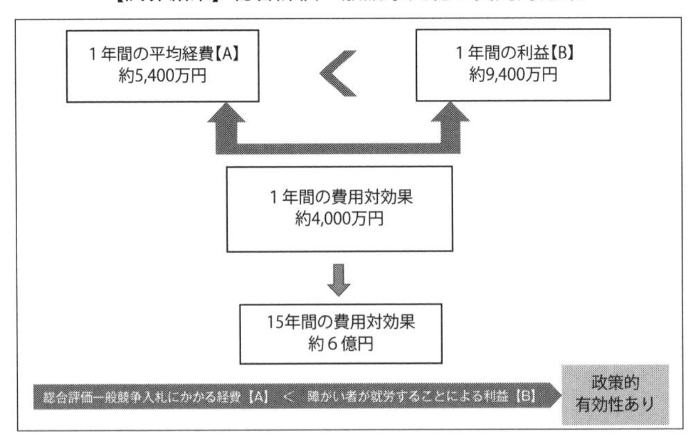

第６章　ビルメンテナンス労働市場と障がい者雇用

１　ビルメンテナンス業界における労働市場の分析

専門部会の提案をうけ、報告では、「総合評価入札が参加企業に与えた影響」についてのヒヤリング等調査も実施した。

当該となるビルメンテナンス業界の労働市場は、他産業に比して非正規雇用率が高く（2014年度実態調査で64.4%、全産業37.4%)、「現場従業員が集まりにくい」(47.5%)、「価格競争の激化で収益率が落ちている」(14.3%) が課題になっている。完全失業率は人材確保と相関関係にある。失業率が上がると人材確保が容易になって価格競争が顕著となり、逆に下がると人材確保が困難になり、価格競争より人材確保ができる企業が優位になる（図１：完全失業率の変遷と悩み事の変化)。このことから、ビルメンテナンス業界における企業の競争力を高めるためには、人材を確保できるか否かが重要になっている。

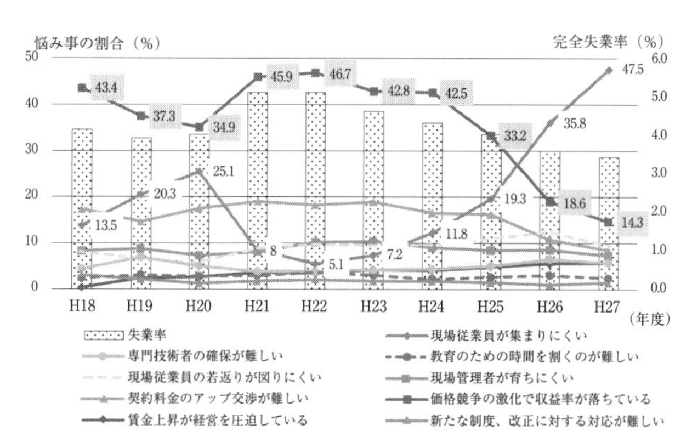

図１　完全失業率の変遷と悩み事の変化
（出典：（公社）全国ビルメンテナンス協会、厚生労働省労働力調査「行政の福祉化の取組みに係る検証　リーディング企業へのヒアリング等調査業務報告書」2018年３月）

ビルメンテナンス業界内での障がい者雇用は、全国を100とした場合、表１のように東京（161.3）、近畿（148.4）が高いのは、大企業が多いためと推察される（2014年度実態調査）、表２は、障害者雇用のうち一般清掃業務に従事する者の割合を示したものである。

表１　対全国　障がい者雇用比率

	H21	H22	H23	H24	H25	H26
全国	100.0	100.0	100.0	100.0	100.0	100.0
北海道	57.7	69.2	66.7	64.5	81.8	74.2
東北	126.9	107.7	133.3	109.7	90.9	90.3
東京	103.8	138.5	129.6	135.5	136.4	161.3
関東甲信越	84.6	96.2	70.4	87.1	87.9	71.0
中部北陸	107.7	100.0	74.1	96.8	69.7	74.2
近畿	130.8	126.9	155.6	141.9	139.4	148.4
中国	69.2	69.2	96.3	74.2	78.8	93.5
四国	73.1	69.2	70.4	64.5	63.6	71.0
九州	115.4	96.2	96.3	87.1	100.0	87.1

（出典：（公社）全国ビルメンテナンス協会、2018年３月）

表２　障がい者雇用のうち一般清掃業務に従事する者の割合

	H21	H22	H23	H24	H25	H26
全国	57.7%	61.5%	59.3%	64.5%	66.7%	64.5%
北海道	46.7%	33.3%	38.9%	50.0%	66.7%	56.5%
東北	72.7%	64.3%	63.9%	70.6%	70.0%	64.3%
東京	48.1%	50.0%	48.6%	54.8%	57.8%	54.0%
関東甲信越	68.2%	68.0%	57.9%	74.1%	69.0%	63.6%
中部北陸	50.0%	57.7%	55.0%	56.7%	60.9%	60.9%
近畿	52.9%	63.6%	61.9%	63.6%	65.2%	71.7%
中国	61.1%	66.7%	69.2%	78.3%	80.8%	72.4%
四国	73.7%	83.3%	84.2%	85.0%	85.7%	77.3%
九州	63.3%	68.0%	73.1%	66.7%	72.7%	70.4%

（出典：（公社）全国ビルメンテナンス協会、2018年３月）

２　総合評価入札参加企業の障がい者雇用率

都道府県別データがないため、総合評価入札との因果関係は不明だが、一般企業の雇用率（民間1.88%、公的機関2.78%）に対し、総合評価入札参加企業の雇用率は9.19%（14社の平均）と高いことから、総合評価入札が、大阪のビルメンテナンス業界の障がい者雇用率向上に寄与している可能性がある（図２：総合評価入札参加企業の平均雇用率）。

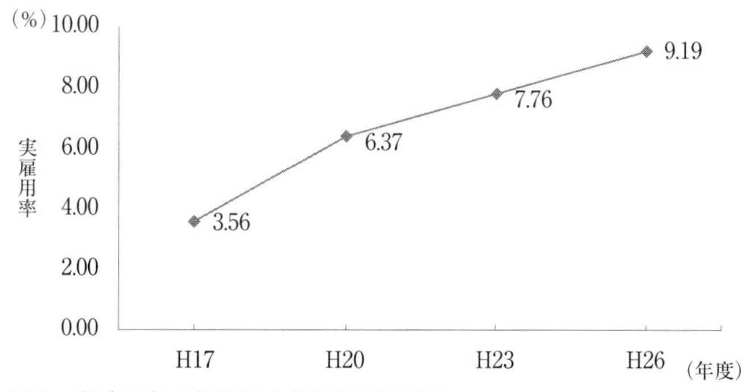

図２　総合評価入札参加企業の平均雇用率
（出典：大阪府提供資料、2017年12月）

総合評価入札参加企業の障がい者雇用手法についてのヒヤリングでは、現場単位で就労支援している企業と、本社に支援担当を配置している企業に分かれていることがわかった。前者は現場レベルで障がい者への配慮ができるスタッフが育ち、後者は本社スタッフが現場を見てまわることで、統一的できめ細やかな対応ができるというメリットがある。

また、経営状況のうち支援スタッフの定着率については、いずれの企業も、障がい者を雇用してから、現場で対応を考え、本社の担当者が頻繁に現場を訪れる、使いやすい道具を支給したり、学習・ディスカッションの機会を設けるなど環境づくりをするというプロセスをたどっていることがわかった。その結果、障がい者に限らず他のスタッフにも配慮できる、トラブルにも丁寧に対応できるなど、スタッフが働きやすい職場環境が構築されており、そのことが障がい者はもとより、スタッフ全体の定着率向上に寄与しているとの意見もあった。

逆に、デメリットについては、障がい者を雇用するために、「モップなど使いやすい道具を選んだり配置している人が最も仕事をしやすい環境、道具をつくっていく」といった意見があり、「合理的配慮」の一環として行う備品、道具、環境整備等にコストがかかる場合があることがわかった。また、本社に支援担当を配置している企業では、頻繁に現場の様子を確認する必要があるため、管理スタッフの人件費がかかっているが、他方でそのことが現場と本社の距離感を縮め、働きやすい職場環境づくりにつながっていると回答した企業もあった。採用コストについてのデータ確認はできなかったが、総合評価入札においては、中間支援組織による訓練や定着支援を受けられるため（中間支援組織とのチーム雇用）、訓練コストや採用コストが削減されているとの意見があり、定着率も向上しているとの意見があった。

3　現状の公共調達制度への意見

「現状の調達制度に関する意見」のヒヤリングでは、企業への影響として、総合評価入札への参加を機に、ISO（国際標準化機構）認証やくるみん認定（厚労省認定の子育てサポート企業）を受けた企業もあり、企業経営に影響を与えているケースが見受けられた。また、電子入札の普及で発注者（大阪府）と顔を会わせる機会が減っているなかで、総合評価入札では、総合評価で求められる事項を満たすため発注者と職場環境について話をする機会を持つことにより、企業が現場の要望を汲み取って業務にあたることができるとの意見があった。

「障がい者以外に支援対象者を拡大すること」への意見では、既に生活困窮者等を受け入れている企業もあり、概ね肯定的だった。ただし、高収入を得られる仕事ではないため、ひとり親家庭の収入増に貢献する可能性は低いのではないかとの意見もあった。

今後、総合評価入札への参加企業を増やしていくためには、企業に対して数値として目に見えるメリットを提示する必要がある。例えば、総合評価入札への参加により作業効率や職場環境がどの程度向上したかといったスタッフへのアンケート調査を経年比較したり、定着率が高ければ新規の採用にかかる経費を低減できることから、雇用による利益として、従業員の定着率データを分析するなどが考えられる。

また、労務管理費用（管理スタッフの人件費・時間）、訓練費用（管理スタッフの人件費・訓練にかかる時間）、現場の備品購入などの環境整備にかかる費用などのデータを得られれば、総合評価入札制度に係る企業の費用が計算でき、これらの費用と利益との比較により総合評価入札が企業にもたらす定量的効果を示すことも可能となると思われる。

総合評価入札への参加企業14社の平均障がい者雇用率は9.19%、すなわち、ほぼ10人に１人の障がい者が雇用されており、就職困難者雇用も足すとさらに上回っている。入札当該現場の雇用率はほぼ20%であるから、５人に１人の障がい者と、それプラスの就職困難者が働いていることになる。それを支えている企業には、雇用管理上のノウハウが蓄積されており、新たな課題もある。その「現場」を観測することにより、総合評価入札参加企業を拡大することもできるし、他の市場に好事例を示すこともできる。有意義な専門部会の検証となった。

第７章　新しい福祉像を求めて

1　福祉観の転換

行政の福祉化推進検討専門部会による行政の福祉化の検証のまとめには、その政策が法制度にとらわれない、府の創造的な発意によるものであったことから、現今の府政や福祉施策を取り巻く環境を鑑みて、基調的な文章となる前文が記載された。そこで、部会長を務めた小野達也教授（大阪府立大学地域保健学域教育福祉学類教授：当時）が執筆された提言の前文「『社会福祉貢献都市・大阪』をめざして」を紹介する。小野教授は審議をはじめるにあたっての前提として、以下のように「福祉観の転換」を提起した。

現在、そして将来を見据えて、多くの福祉問題が指摘されている。超高齢社会、少子化、さまざまな年代層の貧困、社会的排除、マイノリティ、地域社会の脆弱化、産業の停滞などが列挙される。これは俯瞰してみれば、多くの人びとが福祉とかかわる時代になってきていることを示している。福祉自体が日常化しメジャーなものとなってきているのである。しかし、その一方で福祉のネガティブなイメージ、できればかかわりたくない敬遠したい気持ちは払拭されているとはいえない。多くの人びとが福祉にかかわる時代に、こうした福祉観のままでよいのであろうか。これでは福祉の本来の姿が開花していかない。行政の福祉化においては、福祉の積極的意味を求めていく。ポジティブな福祉であり、それは、福祉の語義にある幸福という意味を現代に具現することである。

2　「増進型福祉」

続いて、小野教授は「福祉の公的責任」に踏み込んだ。

福祉観の転換とともに、福祉のすすめ方も新段階となる。福祉の公的責任については、これからもその重要さは変わらないが、旧来型の公的福祉の方法だけでは、その限界も指摘されている。地域福祉が主流化した時代においては、新しい公（行政）と私（民間）の関係が必要である。行政の新たな可能性を発見する志向が行政の福祉化にはある。そのめざすところは、同語反復的ではあるが「行政の社会貢献」ということができる。行政の社会貢献とは、既存の枠に留まらず行政の持つ可能性、（活用されていない）諸資源を社会の質向上のために使うことである。

そして、小野教授は「増進型福祉」という基本理念を示し、「問題部分を修復する穴埋め型の福祉」では、「社会貢献活動も不足部分を埋めるためのものとなる」とし、「行政の福祉化は『福祉＝幸福』の実現を追求する」ものでなければならないとした。

結語として、「行政の福祉化がめざすのは、多様な主体が集い協働していく『社会貢献都市大阪』」であり、「福祉がポジティブなものに転換し、福祉に関わることでより良い生活や社会が生まれることになれば、『福祉先進都市大阪』としてさらなる発展が期待できるであろう」と結んだ。

３　地場産の公共調達哲学

後述の拙文で、大阪の「公共調達哲学」が欧米の借り物ではなく、「大阪地場産」であったことを、時に執拗に述べることになる。なぜ、そうなったか、そうできたか。大阪府は、財政が逼迫していたが故に、自分が福祉のために何ができるかの“ふりかえりをやった、それが行政の福祉化だった。橋下知事になって、「破産会社の従業員」とまで警告されて、もっともっと自問してハートフル条例”になった。あ、そうか。自治体の財政危機は、いまの危機というより、これからの危機なんだ。福祉のための資源開発が必要なんだ、それは、我が身を振り返ることなんだ。そう思った。

第８章　中間支援組織を構想する

１　エル・チャレンジがモデルの中間支援組織

条例が認定を求める「職場環境整備等支援組織」というものは一体どんなものか。行政の福祉化推進検討専門部会では、ずっと「中間支援組織」と呼称していた。中間支援組織のモデルとなったのがエル・チャレンジ（大阪知的障害者雇用促進建物サービス事業協同組合）だった。

エル・チャレンジが生まれたのは1999（平成11）年５月。当時、障がい者の中でも知的障がい者の雇用が遅々として進まないことから、「働く意欲は、働くことから」という、いたってシンプルなひらめきから生まれた。

大阪府が、地方自治法施行令第167条の２第１項２号による随意契約（通称２号随契）を活用して、府の新築施設を発注したところに先駆性があり、福祉団体が、日本初の「障がい者雇用のための事業協同組合」を設立し、これを受注したのも先駆だった。

行政の福祉化プロジェクトがスタートしたのは、同じ年2002（平成14）年の11月。未曾有の財政危機にあった大阪府が、新規事業の予算化はできなくても、発注事業を活用して福祉を産む、働く場を創ると思い立ったのは、いたってシンプルな着想だった。しかし、部局横断のプロジェクトを設置したこと、公契約のあり方にまで踏む込もうとしたところは、20年前では先駆的なことだった。

大阪府が総合評価入札を導入したのは2003（平成15）年からで、底値知らずの価格競争で関係者誰もが消耗していた時に、価格ではなく“雇用を競う”という制度改革案は、シンプルな切り口だった。2002（平成14）年の改正で、地方自治法施行令第167条の10第２項に総合評価入札が追加されたが、これを公共工事ではなく委託清掃分野に適用したところに府の先駆性があった。

こうして、エル・チャレンジは、①自治体からの随意契約で就労支援（雇用ではない）の場を確保し、②総合評価入札で、法定雇用（第一の職場）とも違う、福祉作業所（第二の職場）とも違う“第三の職場（政策雇用）”を創出し、③職域開発でビルメンテナンス企業及びそれ以外の企業での雇用も創出し、④大阪ビルメンテナンス協会や受け入れ企業との協働で定着支援（雇用管理）を推進してきた。

数量的には、①の就労支援で年間平均約200人（述べ2,758人）、②と③の雇用で840人となり、その内ビルメンテナンス企業に就職した人は291人で全体の約35％、非ビルメンテナンス企業の割合が高くなっている。④の定着率は90.2％（直近5年で）でかなり高くなっている。すなわち、就労支援から政策雇用も含む職域開発、そして定着支援の途切れることのない支援をプロモートする組織、それがエル・チャレンジである。

2　職場環境整備等支援組織の認定工程

条例改正によって、大阪府は、「障がい者支援」と「就職困難者支援」の各々の職場環境整備等支援組織を認定することになる。認定基準は、「就労支援」「職域開発」「定着支援」の三つの領域で連続する支援の力を有する組織であるかどうかとなる。募集方法は公募で、審査するのは有識者からなる審議会となる。経過からして、「障がい者支援」の職場環境整備等支援組織の認定が先行し、2019（令和元）年7月26日にエル・チャレンジが認定第1号となった。「生活困難者支援」の職場環境整備等支援組織の認定にあたっては、2020（令和2年）有限責任事業組合大阪職業教育協働機構が認定。「障がい者支援」には二つ目の団体として、NPO法人大阪精神障害者就労支援ネットワークが認定された。

職場環境整備等支援組織に認定されたからと言って、特別のインセンティブ（財政的措置）はない。そこで、注目されるものの一つが、随意契約による就労支援の場の発注、受注である。

３　2号随意契約と3号随意契約

地方自治法施行令第167条の２第１項は、随意契約することができる項目を１号から９号まで記載している。その２号は、要約して「その性質又は目的が競争入札に適しないもの」を随意契約できると定義している。また３号では、「シルバー人材センター及び母子父子、障がい者、ホームレス、生活困窮者のそれぞれの法に基づく事業体」については、物品の調達や役務の提供において自治体による随意契約ができるとされている。

エル・チャレンジは、障がい者法に基づく事業体には該当しなかったことから３号ではなく、２号での随意契約となった。エル・チャレンジの事業は、雇用ではなく就労支援が「性質又は目的」であることを事由にした随意契約適用だった。

さて、以上の説明ではちょっと表層的であるから、ことの経緯についてもう少し立ち入った打ち明け話を記しておきたい。一つ目は、エル・チャレンジへの最初の随意契約物件となったビッグバン（大型児童施設）は新築物件だったことだ。すなわち管理清掃業務を受託する既存事業者がなかった。その分、軋轢が少なかったのだ。機を逃がさなかった大阪府は立派だったが、偶然にも助けられた。二つ目は、２件目の随意契約物件が、旧同和対策事業物件（職業訓練技能実習校）だったことだ。この件では、同和対策事業関連団体が、同和地区出身者の職業訓練から障がい者の職業訓練のための随意契約への変更を率先して提案してくれた。その頃、同和対策事業関連団体は、同和対策事業の効果測定に自ら取り組んでおり、「漫然たる事業継続に固執しない」と決断してくれた。

2011（平成23）年の地方自治法改正によって、上記の３号に「これらに準ずる者」で「地方公共団体の長の認定を受けた者」へも随意契約の対象が広げられた。なお、「準ずる者」について、地方自治法施行規則第12条の２の３の第１項で、「①地方公共団体の長は、あらかじめ認定に必要な基準を定め、公表すること。②基準を定めるときは、あらかじめ、２人以上の学識経験を有する者の意見を聴くこと。③基準に基づいて認定するときは、あらかじめ、２人以上の学識経験を有する者の意見を聴くこと」と定めた。

エル・チャレンジの場合、地方自治法施行令167条の２第１項第２号の「性質又は目的が競争入札になじまない」場合は随意契約ができるという条項を活用した２号随契に依拠してきた。2011（平成23）年の改正を受けて、３号随契に移行することになった。

４　随意契約と優先調達法

2013（平成25）年４月１日、障害者優先調達推進法（国等による障害者就労支援施設等からの物品等の調達の推進等に関する法律）が制定された。この法律の主な目的は、国や地方自治体等が、物品や役務（サービス）を障害者就労支援施設等から優先的に直接購入することを通じて、障がい者の自立の促進に資することだった。毎年度調達方針を策定・公表し、調達実績をとりまとめ、公表することを定めていた。

すでに地方自治法施行令において３号随契の対象に障がい者就労支援施設が加えられていたので、優先調達法と地方自治法が合体し、しかも方針も実績も公表されるので、公共調達を活用した社会的価値（障がい者の就業・就労）は大きく前進すると期待されたが、自治体のばらつきが目立った。なお、第10条では「公契約における障害者の就業を促進するための措置」が明記され、法定雇用率を達成していることや障がい者就労支援施設等から物品等を調達している実績を配慮した「必要な措置（入札における評価）」を行うよう定めた。

５　３号随意契約改訂を活かして

３号随契の改訂で、エル・チャレンジは３号の対象にもなることができるようになった。また、障害者優先調達推進法の制定もあって、障がい者等就職困難者の就労支援事業体への物品の購入や役務の提供の範囲は、理論上では、大きく広がることになった。

そして、3号随契改訂にはもう一つ重要なことがあった。これまでは、2号にしろ3号にしろ、誰に随意契約するかを選考するにあたり、随意契約なのに「競争」的選考が行われてきた。エル・チャレンジは“参加意思確認型公募”によって、事実上の競争選考を受けてきた。この場合、複数以上の参加意思を示した団体が所定の条件を満たしていると、結局、価格競争によって選考されるというものだった。しかし、3号随契の基準を満たしているかを「学識を有する者」等で選考したうえで、就労支援が「性質又は目的」であることを事由にした2号随契が適用されることとなり、実質、総合的な選考ができるようになったわけだ。

地方自治法は「競争入札が原則」で「例外的に随意契約する」こともできると定めている。随意契約を実施するにあたっては、その政策効果（就労支援や優先発注）が検証されなければならないし、公表されなければならない。就労支援における随意契約活用は、地方自治体の強い政策意思だけでなく、就労支援事業体の“支援の質”が担保されてこそ意味をなすということだ。

6　準市場、一般市場へ

条例改正は、条例が公契約モデルから一般市場へと広げようと宣言した。「行政の福祉化から、大阪の福祉化へ」は、言いえて妙だった。

総合評価入札への応札（入札参加）企業の平均雇用率は、図1の総合評価参加企業の平均雇用率のように、2005（平成17）年の3.56％から2014（平成26）年には9.19%にまで伸長している。また、応札経験のないビルメンテナンス企業の雇用率の伸長も報告されており、ビルメンテナンス企業での障がい者雇用が公契約現場から一般現場にも着実に拡大していることは明白だった。もう一度、エル・チャレンジの20年の実績を振り返ってみると、就職できた障がい者840人の内、ビルメンテナンス企業に就職した障がい者は約35％で、過半は一般企業に雇用されているわけで、一般市場への広がりも確認できる。

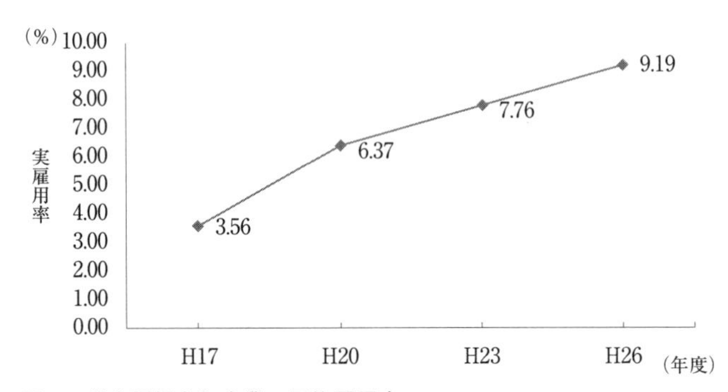

図１　総合評価参加企業の平均雇用率
（出典：大阪府提供資料、2017年12月）

裏話をひとつ紹介する。大阪維新の会の大阪府議からエル・チャレンジについてのかなり突っ込んだ聴き取りを受けた。この府議は、若いけど勉強家で、経過から実績まで逐一質問してきた。当の府議には失礼だが、察するに、エル・チャレンジの就労支援と総合評価入札が合体することで、ビルメンテナンス産業での障がい者雇用は進んできたが、他産業への波及性が弱く、大阪府から見た費用対効果は「話半分」じゃないかという疑問を持っているようだった。ちょっと意地悪に解釈したようだが、真っ当な疑問だった。しかし、実際の報告を聴いて府議は驚いているようだった。それほど、他産業、大企業へのエル・チャレンジからの障がい者の就職は伸びていた。その経緯を引き取った維新の会府議団の今井豊幹事長（当時）は、「もっと一般企業へ浸透できるよう検討すべし」とまとめた。

一つの転機だった。厳しい改革の検証を経たからこそ、今井幹事長は条例制定に共感してくれたと思う。すでに、公契約を活用した就労支援や政策雇用の波及効果は顕著であるが、条例は、さらなる広がりを求めたのである。

7　風の村の「ユニバーサル就労」

そこで、前述の専門部会が着目したのが、社会福祉法人風の村が始めたユニバーサル就労だった。

風の村のユニバーサル就労が支援対象としているのは「はたらきたいのにはたらきにくいすべての人」で、大阪条例の先を行っていた。支援方法は、業務分解による職域拡大やステップアップ方式の就労支援と中間支援機関による定着支援で、エル・チャレンジの支援方法とほとんど変わらなかった。風の村は、社会福祉法改正や障害者自立支援法の施行によって、多様な法人が事業を行うようになった分野で、社会福祉法人が原則非課税であることや、課税されずに法人に残ったお金を内部留保することに違和感を持ち、地域社会に貢献していくことこそ社会福祉法人の使命であると考え、地域づくりにのみ使用する「地域福祉支援積立金」を設置した（2010年）。その積立金の使用目的にユニバーサル就労支援費を計上した。

社会福祉法人の「非課税分地域貢献」という着想は、行政自らが発注事業等を見直して、障がい者等の雇用や就労支援の場を抽出しようとした行政の福祉化と酷似していた。専門部会は、大阪の社会福祉法人の中に、風の村のユニバーサル就労への共感が広がっていると手ごたえを感じていた。

なお、大阪府の総合評価入札は、自治体だけでなく、社会福祉施設でも導入されてきた。社会福祉法人大阪府済生会の病院、社会福祉法人水平会（泉佐野市）、社会福祉法人加島友愛会（大阪市淀川区）、社会福祉法人ヒューマンライツ福祉協会（大阪市西成区）などである。

第９章　公共調達戦略と就労支援

１　国際的な公共調達を進取する

行政の福祉化推進検討専門部会では、諸外国での公契約を活用した障がい者等雇用の実際を検証した。手助けしてくれたのは、この問題に詳しく、専門部会の委員にも就任いただいた岸道雄教授（立命館大学政策科学部教授）だった。岸教授から欧米の動向についての報告を頂いた。ここからの拙文は、エル・チャレンジや大阪ビルメンテナンス協会のセミナー等で、岸教授から示唆されたことや、岸教授が発表されている論文、報告資料等を参考にしている。なお、「公共調達」と「公契約」を同義語と理解して記述する。

OECD（経済開発協力機構）は加盟国の公共調達（公契約）の規模をGDP（国内総生産）の約15％（2015年）と推定している。日本は訳16.2%とのことで、2015（平成27）年の日本のGDPに当てはめると、約86兆円になる大市場だ。この公共調達市場の影響の大きさを踏まえ、欧米では早くから公共調達を社会政策とリンクさせること、すなわち、公共調達を社会的価値、社会的正義の実現に利用してきた歴史がある。近年では、2015（平成27）年に国連で採択された「持続可能な開発目標(SDGs)」がこれらの取り組みを後押ししている。

従来、国連の開発目標と言えば、主な対象国は発展途上国だった。だが、SDGsは「地球上の誰一人として取り残さない」を合言葉に、2030年までに先進国自身も取り組むべき普遍的（ユニバーサル）な目標を設定した。目標は経済（エコノミー）、社会（ソーシャル）、環境（エンバイロメント）を三つの柱に、多岐にわたり17分野169項目が設定されている。そのなかの目標12で「つくる責任　つかう責任（持続可能な生産と消費パターンの確保)」を掲げ、ターゲット12.7で「国内の政策や優先事項に従って持続可能な公共調達の慣行を促進する」ことが定められた。

振り返って、エル・チャレンジが創設されたのは1999（平成11）年６月、大阪府が「行政の福祉化プロジェクト」を設置したのは同年の11月、そして、大阪府が公契約発注にあたり総合評価入札の導入を決定したのは2003（平成15）年。この頃、欧米の先進事例を参考にすることはなかった。それから、20年、あるいは15年を経て、欧米での公共調達の福祉化は加速度的に進展し、国連の目標にまでなった。大阪府による行政の福祉化の検証作業が、世界に目を向けたのは当然のことだった。

２　各国の公共調達の法制度

2019（令和元）年11月に行われた第６回生活困窮者自立支援全国研究交流大会における岸教授の報告資料によると、EU（欧州連合）では、2004（平成16）年、2014（平成26）年のEU公共調達指令に基づき、社会的責任のある公共調達（Socially Responsible Public Procurement）を推進している。社会的責任のある公共調達においては、若者や長期失業者、障がい者等への雇用機会や働きがいのある人間らしい仕事（Decent Work）の提供、社会的包摂、倫理的取引を含む持続可能性といったことを考慮することが求められている。

公共調達指令第20条で留保契約を規定し、通常の競争入札では不利な事業所もしくは障がい者等を雇用することを目的とする事業者のみに入札参加資格を制限することを認めている。同じく第67条では、価格のみの競争ではなく、社会的な要素を考慮した決定基準（Best Price - Quality Ratio）を用いることを認めている。

イギリスでは、2012（平成24）年社会的価値法（The Social Value Act 2012）が制定され、自治体等の公共サービスを民間委託する際に、発注者に、経済、環境、社会に関するより広い便益を考慮することを求めている。2015（平成27）年には公契約規則（The Public Contracts Regulations 2015）が制定されている。

オランダでは、2012（平成24）年の公共調達法において、中央政府の公契約発注企業に社会的便益（Social Return）を義務づけた。公契約において人件費や契約価格の一定割合（５％が典型的）を、通常の労働市場から距離のある長期失業者や障がいのある若者の雇用や職業訓練に「再投資」することを規定している。「Best Price － Quality Ratio」を「公契約における社会的価値指標」あるいは「政策入札」と訳して、その普遍的価値に大いに共感する。また、社会的価値実現への「再投資」という概念、とくに職業訓練への再投資などは、これまで思いつかなかった視点でもあった。

さて、欧州における自治体の公契約入札の事例として、岸教授の論文にもとづいて、スペインのバルセロナ市の事例を紹介する（岸道雄「地方自治体の公共調達における社会的価値を考慮した総合評価方式に関する一考察－障害者雇用に焦点を当てて－」『地域情報研究』第８号、立命館大学地域情報研究所、2019年３月）。

バルセロナ市は2016（平成28）年の「社会的公共調達ガイド」を2017年の「持続可能な公共調達に関する市長令」で承認している。市長令では以下のように明記されている。①総合点における価格点は35％が上限。②契約事業者は契約の特定部分を「社会的企業」に、契約価格の35％まで「再発注」できる。③発注者は、契約の中に「特別な就職の問題を抱えている失業者あるいは社会的排除の状況にいる人々」を含めるための指標を設定することができる。④50人を超える従業員を雇用している事業者は、少なくとも２％の障害者を雇用していなければならない。⑤社会的に周縁化された人々を包摂するために、契約の内容に応じて、特別ワーク・センターと社会的統合企業に限定した「留保契約」とすることができる。競争を行わず、直接契約とする場合、社会的に排除された人々を社会に再統合することを目的として、他の非営利組織・事業者に適用拡大することができる。

３　欧州にも先駆けた大阪府の入札改革

岸教授の論文、報告等を見聞きして驚いた。なんと、大阪府の総合評価入札を活用した障がい者雇用の実践は、欧米より10年早かった。

大阪府が総合評価入札制度を正式に導入したのは2003（平成15）年。その検討は、2002（平成14）年10月から開催された自治体ビル管理契約研究会によって始められた。研究会と称しているが、実際は円卓会議（ラウンドテーブル）だった。大阪府の関係者、府議会議員、福祉関係者、ビルメンテナンス企業（その参加は通算50社にも及んだ）、ビルメンテナンス労働組合、研究者、弁護士等々、利害関係者（ステークホルダー）が勢揃いした円卓会議だった。ビルメンテナンス労働者の声を広く聴くために、680人の労働者の聴き取り調査も実施された。この研究会の模様や聞き取り調査の結果は、『エル・チャレンジ－入札制度にいどんだ障害者雇用－』（エル・チャレンジ編著、解放出版社、2005年）に収録されている。研究会発足から、半年後の2003（平成15）年の４月から、総合評価入札が導入されたのである。

さて、エピソードを一つ紹介したい。障がい者雇用を進めることで非障がい者の労働者の雇用の機会を奪いはしないかという疑問が出された。当時、ボクはこの疑問を一番先に考えた。実際に調査したら、当時のビルメンテナンス産業、とくに公共現場では高齢者が主力だった。そして、年間１割の労働者が転出し入れ替わっていた。決して既存の労働者を排除して障がい者を雇用するわけではないことがわかった。これは力になった。

エル・チャレンジは2006（平成18）年７月にイギリスとイタリアを視察した。翌2007年１月の第４回エル・チャレンジセミナーで、その視察報告を行い、同時にイギリスで知己を得たイギリスのフィリダ・パーディスさん（リンクス・ジャパン代表：当時）に講演してもらった。イタリアのボローニャ市では、法律によって社会的協同組合への公共調達の発注の現場を視察したが、随意契約によるものだと理解していた。また、後日、フィリダ・パーブィスさんが再来日されて、大阪府の総合評価入札を調査されたことも伺った。後に、韓国から、とくにソウル市の社会的企業の訪問を再三受けたが、質問は総合評価入札に集中した。そして、ソウル市では入札改革による社会的価値の実現の制度改正が図られ、国でも社会的価値実現法という法律の制定が間近であると聞いた。

何も、欧州より韓国より、日本が大阪が早かったと自慢しているのではない。むしろ、大阪で早くから発議してきた入札改革は、国際的な動向に参画してきたが、日本での普及、あるいは法制化は後れを取っていると言いたいのである。

４　日本の公共調達を通じた社会的価値の実現の取り組み

その日本で、次の出来事が起こったのが、前述した2013（平成25）年の障害者優先調達推進法の制定であった。この法の第10条「公契約における障害者の就業を促進するための措置等」において、「競争に参加する者に必要な資格を定めるに当たって障害者の雇用の促進等に関する法律第43条第一項の規定に違反していないこと又は障害者就労施設等から相当程度の物品を調達していることを配慮する等障害者の就業を促進するために必要な措置を講ずるよう努めるものとする」とし、地方公共団体等もこれに準じて必要な措置を講ずるよう努めるものとするとした。しかし、「公契約における障害者の就業を促進するための措置」、すなわち入札等公契約措置をお題目にしながら、「法定雇用の順守」と「物品購入の実績」以上には踏み込まなかった。ある意味、痛恨だった、というか、大魚を逃した。

そして、2015（平成27）年に生活困窮者自立支援法が制定された。この法は、障がい者等就職困難者の就労支援にとって画期的な就職準備事業や認定事業所を明記した。かつ基礎自治体のこの分野における役割の重要性を強調した。しかし、同法の中で公契約の活用については触れられなかった。そして、３年後の中間見直しにおいてさえ、国・地方公共団体に認定事業所への受注機会の増大を図る努力義務を定めただけだった。ボクは、強い失望を感じた。自分の不甲斐なさを恥じた。

5　えるぼし認定企業

それが、2016（平成28）年に施行された女性の職業生活における活躍の推進に関する法律（平成27年法律第64号、いわゆる「女性活躍推進法」）第20条に基づく「女性の活躍推進向けた公共調達及び補助金の活用に関する取組指針」、及び「女性活躍社会加速のための重点方針2016」によって、中央省庁、独立法人、地方公共団体等は総合評価落札方式等を用いて女性の活躍を推進し、そこに補助金を適用することを認めている。このことを、岸教授に示唆されて仰天した（岸、前掲論文）。

岸教授はこの論文で、「こうした公共調達を活用した女性活躍推進と比較して、公共調達を通じた障害者雇用促進の取り組みが同程度の推進力、法的枠組みと現政権の取り組みによって有しているか疑問を覚えるところがある。特に、2018（平成30）年夏から秋にかけて新聞で大きく取り上げられた国の中央省庁における障害者雇用の水増しの件を踏まえるとなおさらそうした印象を強くする」と述べている。

女性活躍推進法は2016（平成28）年４月に施行された。この法律により、従来からある両立支援等助成金を申請した場合、女性活躍推進の優良企業として、いわばミシュランマークが付与される。助成金支給と同時に、えるぼし（ワーク・ライフ・バランス等推進企業）に登録される。えるぼし認定企業は、採用、労働条件、働き方、管理職比率、多様なキャリアコース等によって、一つ星から三つ星まで評価がなされる。今後、えるぼし認定企業が総合評価入札等で加点されていくことになると思われる。

6　日本の公契約条例

2017（平成29）年９月、大阪府社会福祉審議会第２回行政の福祉化推進検討専門部会における岸教授の公契約条例に関する報告資料によると、公契約条例でいう公契約について、ILO（国際労働機構）条約94号は、「契約当事者の少なくても一方が公の機関」であると定義している。大阪府ハートフル条例（改正）では、「府を一方の当事者とする契約」と定義した。ILO94号条約では、「公の機関を一方の契約当事者として締結する契約においては、その契約で働く労働者の労働条件が、団体協約または承認された交渉機関、仲裁裁定あるいは国内の法令によって決められたものよりも有利な労働条件に関する条項を、その契約の中に入れることを決めたもの」と規定している。ILO94号条約は63ヵ国が批准しているが、日本は批准していない。

公契約条例とは、地方公共団体が、この「公契約の条項に含めるべき内容」を条例によって定めるものである。この条項の中に、労働者の賃金や雇用などの労働条項があり、障がい者雇用や男女平等参画、環境問題などの社会条項がある。

わが国で公契約条例が初めて制定されたのは、2009（平成21）年の千葉県野田市で、そこでは、公契約において、地域包括最低賃金とは別の労働者への最低報酬下限額が設定された。この条例は労働条項の中でも賃金条項が盛り込まれたものだった。2012（平成24）年には川崎市が政令指定都市としては初めての公契約条例を成立、現在までに20を超える自治体が賃金条項を含む公契約条例を施行しているが、賃金条項を含まない公契約条例を制定した自治体もある。

こうしてみると、わが国の「公契約における社会的価値指標」の具現化は、賃金条項を主眼とした公契約条例が先行しているが、同時期に、総合評価入札という雇用条項を主眼とした“政策入札”が併走してきたことと理解することができる。

そして、後者、いわば総合評価入札グループも“条例化”を検討した。それが、大阪府ハートフル条例だった。

7　「立法事実」と条例

そもそも地方公共団体が憲法94条を根拠として、地方自治法にもとづいて制定が許されているのが条例だ。当然、条例を制定あるいは改正するには、条例の正当性はもちろん、市民の権利が実際に侵害されている等の事実を客観的に証明し、かつ条例がその改善に資するという説明責任が求められる。“立法事実”というものだ。

大阪府においては、立法事実を曖昧にしたままの「理念条例」には消極的だった。つまり、障がい者雇用が国の法律によって定められ、滞りなく進行されているのなら、障がい者雇用に関する条例は特段必要ない。2010（平成22）年橋下知事時代の大阪府ハートフル条例（改正前）は、「国が定めた法定雇用率が遵守されていない状況が放置されていたこと」と、「府が雇用率未達成企業とは契約しないと宣言すること」を立法事実としていた。

今回の条例改正では、さらに進んで、法定雇用率だけで障がい者雇用が充足されるわけではない。また、障がい者と同様に働くことに困難を抱えている人々が存在しているという状況認識が条例の前提にあった。そして、そうした状況の改善に、大阪府は、総合評価入札や中間支援組織が役割を果たすという確信があった。あえて条例を定めてまで施策の推進にあたる必然性を「状況」の存在と「施策」の存在の両面から認めたうえでの条例提案となった。

いずれにせよ、欧米から始まった公共調達の福祉化が、2015（平成27）年国連の持続可能な開発目標（SDGs）になった。わが国の政府も、これを尊重し、国内法整備などに取りかかっている。この機を捉えて、大阪発の行政の福祉化を全国化することは、きわめて重要である。その際、総合評価入札等の導入による入札改革と、さらに公契約条例として恒常化することも喫緊の課題となってきた。

８　ビルメンテナンス労働者調査

改正ハートフル条例は、「公契約を活用した障がい者等就職困難者の就労支援」を明記したという意味で、広義の意味での公契約条例になる。しかし、「雇用（条項）はあるが、賃金（条項）はない」から、狭義の意味（日本のこれまでの公契約条例の経緯からみて）の公契約条例ではないかもしれない。しかし、「雇用と賃金」は不可分の相関関係にあるから、専門部会でも議論になった。

2012（平成24）年にエル・チャレンジと一般社団法人大阪ビルメンテナンス協会は「ビルメンテナンス業で働く方の雇用と生活実態調査」を実施した。この調査報告会を開催したことがある。

調査は、「収入が低く、男性の未婚が驚くほど多い」「賃金が低いが、長く働きたい」「高齢者が多く、若者が少ない、定着しない」等々、ビルメンテナンス労働者の赤裸々な実態を浮かび上がらせた。

「ビルメンが困難な人を生み出しているのか、それとも困難を抱えた人がビルメンに来ているのか」。大阪ビルメンテナンス協会の福田久美子さんは、そう語りかけた。それに対し、「かつての戦前の大阪市社会事業家が見たような都市の困難がビルメンに再現されているかのようだ」と、公契約条例などに詳しい吉村臨兵教授がコメントした。また、ビルメンテナンス産業にも造詣の深い証券アナリストの小松伸多佳さんは、「仕事が人生の中心とは考えていないが、決して不真面目ではない人たちの居場所がビルメンにあるように見えた」と発言した。示唆に富んだ討論になり、雇用と賃金の関係を考えさせられた。

９　就労支援費込労務単価

ボクは、専門部会で、「就労支援費込労務単価」というかねてからの持論を述べた。

発注者側の予定価格積算の目安になっている「国交省建築保全業務労務単価積算基準」にはないが、自治体が先駆けて、就労支援費を加算すべきという意見だ。例えば電検３種のように、就労支援を専門資格と認定し、これを労務単価に積算するということだ。すでに、大阪府は総合評価入札において、予定価格の労務単価分の３％を福祉推進費として加算してきたこともあり、この意見は、概ね条例にも反映された。賃金引き上げに直接的につながるものではないが、“原資”を確保することになるという考え方だ。

国交省は毎年度、一定企業へのアンケート等による建築保全業務労務費調査を実施し、毎年度、建築物保全業務労務単価を作成し公表する。この国交省基準を自治体等は参考にして予定価格を積算することになる。2020（令和２）年度の大阪の場合、清掃員Aで日額15,000円、清掃員Bで11,900円、清掃員Cで10,900円となる。８時間計算だから時間給ならＣランクで1,362円となる。ちなみに大阪の最低賃金は964円なので、398円分が評価給等の原資となる。当然、最低賃金が上昇すれば労務単価も上げて欲しいと事業者は思う。また、最低賃金と「同趣旨」で就職困難者等の就労支援費を積算して欲しいと思うのは自然だ。俗に言われたワーキングプアのプアは、賃金のプアだけでなく支援のプアもあるという意味だ。

また、ビルメンテナンス労働者の生活家計調査結果をもとに、「安い」というより「上がらない」賃金が、就職困難者の雇用（雇用継続）の桎梏になっている（なってくる）と指摘した。つまり、「上がらない」賃金に「上がる」手立てが必要で、それよって、障がい者等就職困難者が「働き続けられる」という主訴だった。

大阪市交通局（現・大阪メトロ株式会社）の総合評価入札において、最低賃金が近い将来1,000円になると想定して、これを上回る賃金を予定した応札者に加点してきた事例もある。

「賃金が上がると、いす取りゲームで、雇用が追われる」、これまでそう懸念していた。しかし、「最低賃金を上げても、さほど失業者が増えないことが最近の賃金分布のデータから読み取れるのです。多くの地域で最低賃金水準で働く労働者が以前より増えているのは、引き上げられても雇われ続け、その層に突出がみられるようになってきたから」（大竹文雄大阪大学教授、朝日新聞『耕論』、2019年７月31日）との指摘もある。

賃金は上がっても雇用は追われないことはわかったのだから、最低賃金より高い別の報酬下限額を求めることに問題はない。しかし、今般の審議会で、報酬下限額をハートフル条例に書き込むには、やはり難問が多いと思い、それ以上の意見は控えた。賛否あって当然のことだと思う。

10　SDGs戦略に就労支援を

日本のSDGsの推進体制は、内閣府に設置されたSDGs推進本部が陣頭指揮を執っている。内閣総理大臣を本部長に全閣僚が構成員となっているから、大阪府が副知事をトップに部局横断型で行政の福祉化に取り組んだ状況と瓜二つと言ってもいい。

国のアクションプランでは、「民間企業・技術革新」「地方・循環共生」「次世代・女性」を３本柱に８分野の取り組みを推進することとしている。その分野の一つにあらゆる人々の活躍の推進があり、働き方改革の推進やダイバーシティ・バリアフリーの推進、子どもの貧困対策などに取り組むことが示されている。行政の福祉化の全国化を目指すときに重なるのはこの分野だ。具体的な取り組みには、民間企業の取り組みを推進するインセンティブとして、先述した“えるぼし認定企業の優遇”や女性活躍上場企業の“なでしこ銘柄”“ダイバーシティー企業100選”などがあり、あたかも大阪府の総合評価入札や旧ハートフル条例の下でのハートフル企業顕彰だ。

ただ、国のプランからは就労支援の視点はあまり伝わってこない。福祉的就労の底上げの工賃向上はうたわれているが、国の障がい者雇用率改ざん問題と同様、民間企業の取り組みも質よりも数を合わせたらOKとも受け取れてしまう。もう一度、現場で起こっていることを振り返ることが必要だと思う。

行政の福祉化は“障がい者やひとり親家庭の父母などの雇用・就労機会の創出とその自立を支援する視点”であらゆる分野の施策を見直し、ビルメンテナンス産業と知的障がい者就労の親和性を発見し、そこに就労支援をプラスすることで知的障がい者とビルメンテナンス企業の幸せな関係をつくりだした。その結果、大阪のビルメンテナンス産業の福祉化が、付加価値として生み出された。「社会のためにはじめたことが、会社のためになった」と大阪ビルメンテナンス協会の福田久美子さんはよく言われるが、これぞまさにSDGsターゲット12.7戦略の一つのモデルなんだと思う。

第10章　法定雇用から共生雇用へ

1　障がい者雇用の歴史

わが国の障がい者雇用に関する法整備の歴史は、1960（昭和35）年の身体障害者雇用促進法制定に始まる。1976（昭和51）年には身体障がい者の雇用が事業主の義務とされ、いわゆる法定雇用率が定められた。そして、1987年になって、名称が障害者の雇用の促進等に関する法律となり、ようやく知的障がい者も適用対象となった。

しかし、知的障がい者が法定雇用率に換算されるようになったのは1997（平成９）年のことだった。そして、2006（平成18）年になって精神障がい者と短時間労働者（週30時間未満の常用労働者）も法の対象者となった。2016（平成28）年には、障害者権利条約の批准や関係法制の変化で、障がい者差別禁止規定や「合理的配慮」の概念が導入された。

2018（平成30）年になって、法定雇用率の算定基礎に精神障がい者を加える法改正が施行された。これで、法定雇用率は、民間で2.2％、公的機関で2.5％、教育機関で2.4％となった。さらに、国の行政機関などで雇用する障がい者の人数が不適切に計上されていた問題が発生し、再発防止のための法改正が2020（令和２）年４月から施行されることになった。

わが国の法定雇用率制度のような一定の雇用を義務づける方法は、ドイツやフランスなどで採用されてきた。一方、障がい者差別禁止法により、雇用に関して障がいを理由とする差別を禁止することに重きを置いて雇用促進を図る方法を採用してきたのはアメリカやイギリスであった。割り当て方法の弱点は、法定雇用率が達成されると、その後の雇用の拡大にブレーキがかかりやすい側面を持つことである。一方、差別禁止に重きを置く方法は、「職業的重度」の障がい者が排除されやすい側面を持つ弱点がある。当然、「割り当て雇用」と「差別の禁止」の両面から、障がい者雇用を推進していくことになる。

2　雇用率の改ざん

2018（平成30）年５月頃から顕在化した国の省庁による障がい者法定雇用率改ざん問題では、省庁に6,900人の障がい者が働いているとされていたが、その半数の3,460人は虚偽だった。実際は法定雇用率（公的機関は2.5%）を大きく下回る1.22%で、4,273人が不足していた。

その後、省庁はいわば「駆け込み」的に採用試験を実施し、国会も、2019（令和元）年６月、改正雇用対策法を成立させた。この法改正で、公的機関も民間企業と同様に、障害者手帳の写しなど確認書類の保存が義務付けられ、厚労省が公的機関に障がい者雇用の報告を求められる権限も明記された。しかし、雇用の量もさることながら、数だけにこだわるあまり、改ざんもする、ましてや就労支援や職場改善に目を向けない雇用の質の低さは、ほとんど省みられなかった。

官庁や自治体の障害者雇用率不正算入問題は深刻だ。その直接的原因は、深刻なコンプライアンスの欠如であり、省庁自らが率先して共生社会を築くという意欲の欠如である。猛省とともに、原因の掘り下げが求められる問題だ。

ただ、この問題には間接的な原因もある。現行障害者雇用促進法では、国や自治体の行政機関は報告義務もなければ、罰則規定も適用されないために悪用されたということ。診断書に基づく障害者認定には曖昧な点も多く、拡大解釈されたかもしれないということ。専門性の高い官公庁業務にとって、就労支援プログラムのないままでの雇用率アップ改定は、かなりの重荷になっていたのかもしれないということ。

同時に、今回の不正算入問題は、労働現場の実態から乖離した障害者雇用制度のひずみも遠因になっていると思われる。そもそも障害者認定が手帳や診断書のみに依拠する「医療モデル」になっており、是正が求められているということ。とくに自治体現場に顕著な委託など、業務の多元化が考慮されていないということ。雇用率制度は義務規定（権力規定）で、雇う側と雇われる側の対等な関係に立ち返るなら、法定雇用率と同時に「共生雇用率」とでも表現すべき双方向の市場目標が必要ではないかということ、などである。

すでに、在野では幾つかの試みが成されている。公共及び準市場に限定して紹介すると、大阪府等幾つかの自治体は、公共発注業務契約において障害者や就職困難者の雇用を評価点としており、雇用実績では法定雇用率の３倍まで、契約当該現場では10倍までを加点対象としている。福祉現場ではいわば非課税分社会貢献という観点で、制度に拠らず職域を開拓し、手帳所持有無にもとらわれない就労モデルを実践している。

以上のことを考慮して、今回の問題への対処方策を検討してみたい。問題の社会に与える影響を考えると、障害者等被害当事者が参画する検証委員会の設置が喫緊であった。3,000人を超えるとも想定される未達成分の拙速な数合わせ的雇用では、かえって二次災害を引き起こすと懸念された。そうだとすると、国会が介在して一定の猶予期間を設定すべきだと思った。その際、省庁内の就労支援計画の策定を義務付け、それを検証する「臨時的な期限法」が検討されても良いのではないかと思った。あわせて、手帳だけに拠らない障害者認定のあり方、及び共生雇用率や、非公務員省庁及び自治体職員や政策的な外部委託における雇用創出など、共生社会を築くための総合的政策目標を検討する場が用意されるべきである。いずれにせよ、雨降って地固まるのでなければ詮無い事件になる、そう思っていた。

３　「共生雇用」という考え方

行政の福祉化による総合評価入札の実施と定着により、大阪の公契約ビルメンテナンス労働市場には、障がい者雇用に関する法定雇用率と総合評価入札雇用率という二層の雇用率がほぼ15年併走してきた。

この場合の総合評価入札雇用率とは、その評価点において、①法定雇用率はその３倍まで加点し、②入札当該現場の雇用率は、ほぼ10倍の目標を設定し、③就職困難者（障害者手帳を所持しない障がい者も含め）の雇用工夫にも加点し、④それらが実施及び持続可能な支援計画の提出を求め、⑤さらに、落札企業が変更された場合、障がい者等の新落札企業による継続雇用提案にも加点する、というものである。

2019（平成31）年大阪府は、この二層の雇用率ある意味では二重雇用率（ダブルスタンダード）を、ハートフル条例という一つの条例で“包摂”した。このことにより、思わぬ価値が生まれた。すなわち、障がい者雇用率が法定（責務）と提案（奨励）に二層化し、しかも、非障がい者の就職困難者まで包含されたのである。そして、それは、条例化によって持続可能なシステムになったのである。

これで、障がい者雇用を競う政策市場が大阪に位置づき、明確な責務と目標が数値化された。ただ、それは、公契約の、ビルメンテナンス市場限定であった。そこで、条例には、職場環境整備支援組織（中間支援組織）の認定が規定された。この中間支援組織は、一義的には、公契約市場での障がい者等就職困難者雇用の責務と目標の達成を「仲介」するために活動する。しかし、条例は、この中間支援組織が、二義的には、広く一般労働市場においても、障がい者等就職困難者雇用の責務と目標を実現する「仲介」のために活動することを奨励し、その進行管理と援助方策を条例審議会で検討することまで踏み込んだのである。

そして、条例を諮問した専門部会は、一般労働市場の中にあっても、社会福祉市場（準市場あるいはソーシャル・マーケット）を有力な市場と認知した。その根拠には、千葉県の社会福祉法人風の村が考案した、社会福祉法人の非課税分地域貢献を原資にしたユニバーサル就労という中間支援の存在があった。このユニバーサル就労とエル・チャレンジの就労支援方式は、驚くほど似通っていた。

職場環境整備支援組織の第１号に認定されたエル・チャレンジの特質は、“ゼロコストの就労支援”であった。その経緯をみても、エル・チャレンジがあらかじめ行政からの助成を想定したものではなく、「雇用とは区別した就労支援」というプログラムを大阪府に提案し、大阪府が、地方自治法施行令による随意契約を活用した「就労支援の場」の契約を決断したのである。それから20年、エル・チャレンジという中間支援組織の仲介なくしては実現することはなかったであろう、総合評価入札などの非行政助成型就労雇用プログラムが具現化されてきたのである。

これらの経緯と実績の総体を「共生雇用」あるいは「共生雇用率」と仮称して、これまでの法定雇用（率）へのオルタナティブと構想したい。

４　「共生雇用率」とはどんなものか

「共生雇用率」とは、前述のように、総合評価入札での雇用率及びその関連事項（「総合評価入札雇用率」と一旦仮称した）を想定している。それが法定雇用率と決定的に違うのは「法令（ペナルティを伴う）」ではなく、「奨励（自主的な目標）」であるということ、もっと厳密には二層の雇用率であるということだ。

自主的な目標である以上、領域は国より、自治体あるいは特定産業・業種、はたまた特定の契約ということになる。ちょっと洒落た表現をすれば、地域と流域（造語だが）――いずれも英訳ならコミュニティ――において、めざすべき共生社会に至る共生雇用のあり方を、コミュニティの構成員によって「協定」するということだ。その場合、共生雇用は概念的、理論的なものとなるが、共生雇用率となると積算根拠が問題になり、しかも、それは地域と流域ごと、あるいはコミュニティの合意形成の深まり具合によって異なることになる。

そんなことができるのだろうか。あるいは、そんな複雑なことに埋没するとかえって合意を形成できないのではないか。そんな疑問が出てくる。しかし、公契約のビルメンテナンス現場という限定的なコミュニティでは、現に積算根拠が示され、しかも15年続いてきた。あるいは、当該ビルメンテナンス業界においては、企業雇用率までもが共生雇用率（総合評価入札雇用率）に接近している企業も複数存在している。モデルはあるということだ。

そして、そのコミュニティの合意形成に、自治体という機関が、或いはビルメンテナンス協会という公益法人が、そして、エル・チャレンジという民間中間支援機関がコミットしてきた。それらの諸関係を、大阪府はハートフル条例に書き込んだのである。

5　中間支援組織の役割

この総合評価入札での試みを振り返ると、「中間支援」とは、自治体とビルメンテナンス協会とエル・チャレンジのトライアングルということになる。しかし、自治体とビルメンテナンス協会（業界団体）は、市民や会員企業との契約に基づく利害団体であり、「合意」に役割を果たしやすいが、合意に至る問題点を解析し、漸進的な提案を示すオーガニゼーションの役割を果たすには、“図体がでかい”。そこで、中間支援組織の役割がある。

しかし、中間支援組織は、あくまで民間組織である。業務を遂行するには資金と人材の調達が課題になる。そこで、大阪府は、資金調達に、地方自治法施行令を活用した随意契約による就労支援の場を提供した。千葉県の風の村は、社会福祉法人の「非課税分地域貢献」を提案している。また、大阪ビルメンテナンス協会は、エル・チャレンジと協働で会員企業等の合意による就労支援スタッフ養成講座や社会貢献セミナー等、中間支援の事業を提供した。また、人材については、エル・チャレンジの組合員である手をつなぐ育成会等福祉事業体が就労支援スタッフを拠出している。これらの総体を、ハートフル条例は想像して想定された。

6　共生雇用の進め方

口幅ったいが、わが国には、障がい者雇用をめざすべき“共生社会の指標”と捉える想像力が欠けている。とくに国においてはそれが顕著であることが、皮肉にも「雇用率改ざん問題」で露呈した。

国交省「建築物保全業務労務単価積算基準」に就労支援費込労務単価を積算するというエル・チャレンジの提案は、そこに問題を提起したいと考えた一つの試みである。その積算根拠は、現実に共生雇用を先駆けている大阪の公契約のビルメンテナンス現場から発信するから、その円卓会議（ラウンドテーブル）を設定していただけないかという提案である。

共生雇用（共生雇用率）は、あくまで自主的な活動によって推進されるものだ。自治体が取り組む公契約条例も、自治体の自主的な営みだ。条例でも良いし、総合評価入札の導入など、入札改革でも良い。「大阪事例」は入札改革や公契約条例の制定が、障がい者雇用に有益な便益をもたらすことを示唆している。また、総合評価入札や障がい者等就職困難者雇用に資する公契約条例が全国化することを期待してやまない。

ハートフル条例は、また、誤解を恐れずに言えば、「中間支援組織育成条例」でもある。障がい者雇用は、障がい者本人を抜きにして語られるべきものではない。同時に、市場を度外視して市場の外から与えられるものでもない。わかってても遅々と進まず、時に「事件」が起こるのは、福祉（障がい者本人）と市場（企業）と公共（自治体）という障がい者コミュニティが、「三すくみ（互いに牽制し合って、誰も自由に行動できない）」になっているからだ。「隗より始めよ」の隗は、中間支援機関かもしれないのだ。

第11章　大阪から全国へ

大阪府とエル・チャレンジが拓いてきた“大阪方式就労支援”が全国に広がっていくには、どうしたらいいか。いわば、この拙文のまとめのようなものとして、口幅ったい言い方になるが、“12の課題”として記述しておきたい。

第１の課題は、「中間支援組織あっての総合評価入札」ということである。エル・チャレンジが創設された1999（平成11）年から20年が経過し、就労支援の民間組織は飛躍的に増えた。自治体にしろ、民間企業にしろ、障がい者等就職困難者の雇用に取り組もうと思えば、すぐ身近に就労支援組織に相談できるという状況になりつつある（もちろん地域間格差はある）。就労支援の範囲を「働き始める（就労）支援」「働き続ける（定着）支援」「働く場を創る（職域開発）支援」と定義し、自治体や民間企業は就労支援事業体とパートナーシップを結ぶことだと思う。

第２の課題は、「地方自治法を活用して就労支援」ということである。自治体の公共調達を司る法律である地方自治法第234条及び施行令第167条は改正を重ねて、多様な形態での随意契約が認められてきている。また、価格だけでなく総合評価入札等によって「（当該自治体にとって）最も有利な者」と契約することも認められてきた。今では、自治体にとって、障がい者等就職困難者の雇用就労支援を実現する公契約上の障壁は、ほぼ除去されたと断言できる状況になっていると思う。

第３の課題は、「公共調達の理念を共有して社会的価値を実現する」ということである。1999（平成11）年大阪府が行政の福祉化を政策にした時は、範とすべき理論はなく「現場の知恵」でしかなかった。しかし、今日では、国際的にも公共調達戦略が法制化され、国連のSDGs戦略でも「持続的な公共調達の慣行（12－7）」が示された。地方自治法を包含するような定義が関係者に浸透し始めている。この機に、わが国でも、80兆円にもなると推計される公共調達を福祉や就労支援に活用する時である。

第4の課題は、「障がい者優先調達法を検証して中間支援組織の育成」ということである。優先調達法が5年を経過して、役務の受注を就労支援に活用する事業体も存在している。これらの事業体が働き始める、働き続ける、働く場を創る（3支援）を担う中間支援組織として、自治体に認証される仕組みは効果的である。「中間支援組織あれば雇用開発あり」で、公共調達の入札改革（総合評価入札等）へと連動していくことが期待されると思う。

第5の課題は、「就労支援を自治体の真ん中に」ということである。生活困窮者自立支援法の成立で、失業者（求職者）は「働きたい人々」に拡大され、雇用対策とは区別された多面的な就労支援は自治体の課題であると法制化された。自治体の「隗より始めよ」の隗は、政策立案だけでなく、公共調達の活用による就労支援であるしれないと、もっと強調されてもよい分野である。福祉も「特定の市民の結果への対策」から「普遍的な市民ニーズの充足」として見直されるべき時である。

第6の課題は、「総合評価入札は費用対効果の高い契約」ということである。競争は万能ではないが、付加価値を評価する適正な競争によって、効率化と共に持続可能な福祉に近づくことができるはずである。また、福祉と市場と公共の“三方良し”の社会的投資として再発見されて良いはずである。価格偏重競争は、品質や社会的価値を摩耗させやすい。一方、随意契約は限定的活用によってこそ目的を達成やすい。大阪の15年の総合評価入札の費用対効果検証は、もっと驚きを持って参考にされて良いものであると思う。

第7の課題は、「公契約条例は広がってほしい公共調達戦略」ということである。幾つかの自治体で先行されてきた報酬下限額を設定した公契約条例に対し、大阪府ハートフル条例は、障がい者等就職困難者の雇用就労支援に重きを置いた新しい公共調達条例になった。条例制定には

「立法事実」と「自治体の強い意志」が必要で、その分、自治体によってアプローチに違いがあっても良いはずだ。賃金と雇用が両立し、市民にとって共感できる条例の制定に、もっと多様で闊達な議論がなされるべきであると思う。

第８の課題は、「ペナルティとインセンティブで共生雇用」ということである。法定雇用率は遵守されるべきで、自治体独自のペナルティが設けられても良い。しかし、法定以上の目標とする雇用率の設定によって“就労支援を極める”風土を育てる時だと思う。その際、契約上の直接的なインセンティブは、フェアトレードな市場となる。同時に、中間支援組織の育成への投資を呼びかける間接的なインセンティブの付与は、結果的に持続可能な市場をもたらすことになると期待される。

第９の課題は、「自治体発信で法制度を問い直す」ということである。障がい者優先調達推進法第10条は、「公契約における障害者の就業を促進するための措置等」と明記しながら、総合評価入札等入札制度にまでは踏み込まなかった。生活困窮者自立支援法の３年見直しのチャンスにおいても、公共調達の活用についてはスルーしてしまった。公共サービス基本法（2009年施行）も抽象的な規定に終わっている。国交省の建築物保全業務労務単価積算基準に就労支援の積算はない。しかし、いずれの法制度も、その主旨に「社会的価値の実現を包含すること」は可能である。現場の自治体からの知恵を進取して、持続可能な法制度へと収斂されていくことが期待されていると思う。

第10の課題は、「期待される中間支援組織の姿を思い描く」ということである。大阪府がハートフル条例を制定した動機の一つに、定着（働き続ける）支援の重視があった。言葉を変えれば、「割当雇用」の拡大が総合評価入札としたら、条例は差別の禁止（合理的配慮）の具現化として、中間支援組織に注目したということである。差別禁止は道徳的規範ではなく、現場に近い支援によってこそ実現されるということである。エル・チャレンジが、共済制度や障がい者の生涯教育機能、個別企業を超えた業界支援の人材育成等を手がけてきていることに注目してほしいと思う。

第11の課題は、「中間支援組織の財務を構想する」ということである。エル・チャレンジが20年持続することができた財源は、随意契約物件を受注した事業協同組合の手数料収入（事業費の約５％）だった。これが第１期。就労支援の質の高まりに伴う事業財源は、大阪ビルメンテナンス協会等との共同事業に依拠してきた。これが第２期。いずれも公的助成には極力頼らなかった。しかし、より高みをめざすためには、ESG（環境（Environment）・社会（Social）・ガバナンス（Governance））投資等より長期的なビジョンを提唱し、社会的投資を呼びかけることが必要であると思う。これが第３期になる。

第12の課題は、「中間支援組織と自治体のパートナーシップ」ということである。エル・チャレンジ20年の横で、国は緊急雇用対策等雇用保険財政の出動等で自治体の尻を叩いてきた。しかし、就労支援はより長期的、根源的な自治体による市民サービスであったから、緊急財政出動の分、自治体の政策インフラ整備は先送りされてしまった。そのツケが、民間就労支援組織等との“紋切り型契約”として表出してしまっている。地方自治法をあまりに価格偏重に解釈してしまったことも重なった。公共調達による社会的価値の実現への戦略不在のままでは、中間支援組織は育たないと思う。

第2部

エル・チャレンジの20年

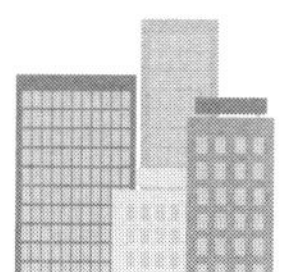

第1章　ビルメンテナンスで障がい者雇用 ～事業協同組合の20年

1　エル・チャレンジの設立

エル・チャレンジが発足したのは1999（平成11）年5月だった。正式名称は、大阪知的障害者雇用促進建物サービス事業協同組合（愛称：エル・チャレンジ）と少々長い名称だが、これには、4つの要素が含まれている。①知的障害者②雇用促進③建物サービス④事業協同組合の4つの要素である。

名称に「知的障害」を入れたのは、エル・チャレンジの発足当初、知的障がい者の雇用がほとんど進んでいなかったことがあげられる。例えば、設立当初、養護学校（現　特別支援学校）高等部卒業生の20%程度（2018年では28.5%）が就職できるものの、大半の卒業生が福祉作業所に行かざる得ない状況があった。また、就職しても、3割から4割近くの人が就職後3年以内に離職していくという現実もあった。折りしも2018（平成30）年に国は法定雇用率を1.6%から1.8%に引き上げ、知的障がい者をカウントすることを決めた。企業の多くは1.8%の法定雇用率を達成できていない現状があった。知的障害者に特化するよりも「障害者」と表現することで門戸を広げるべきとの意見も多くあったが、エル・チャレンジはその名称に、あえて知的障害者をくみこみ、特化することを明確にした。

次に、「雇用促進」と謳ったのは、自らが知的障がい者を雇用するというよりも、社会や大阪全体の雇用を促進するための団体であることを明確にするためだった。

「建物サービス」という表現は、この業種に、知的障がい者雇用の可能性が広がっていると考えたからである。建物サービス、特に清掃という仕事は、労働集約型の産業であり、機械化を取り入れにくい業種である。というのも、建物は形状や広さがさまざまであり、平面だけではなく、垂直の面や階段や窓などさまざまであり、一人での仕事からグループでの仕事など、取り組み方もさまざまである。また、実際に働いている人を見ても、長時間から短時間、正規雇用からパート、年齢や体力に合わせて仕事を組み合わせることも可能である。そして、長距離通勤よりも地域密着型で、知的障がい者が身近な地域で仕事ができるというメリットもあった。

最後に「事業協同組合」としたのは、公益性を担保するためであった。ちょうどその頃、堺市にある建設途中の大型児童館ビッグバンの清掃をめぐり、大阪府としても障がい者雇用の手法を検討していた時期だった。そこで、政策的随意契約の受け皿として、中小企業協同組合法に基づく共益団体（事業協同組合）を選択した。

とはいえ、事業協同組合というのは、１つの団体でできるものではなく、４社以上が共同して組合を構成する必要があった。発足時の組合員は、知的障がい者の支援組織である①大阪知的障害者育成会（現：大阪手をつなぐ育成会）と②大阪市知的障害者育成会（現：大阪市手をつなぐ育成会）の２つの社会福祉法人。大阪市西成区のまちづくり会社③株式会社ナイス、堺市に拠点を置き堺市障害者就労促進協会の全額出資で設立された④株式会社グッドウィルさかいであった。また、当時は、社会福祉法人の事業協同組合への参加が認められていなかったため、エル・チャレンジは大阪府と協力して国への働きかけを強めることとした。その取り組みが功を為し、社会福祉法人の参加が認められ、大阪知的障害者雇用促進建物サービス事業協同組合という、長い名前の団体が誕生することとなった。しかし、あまりに長い名称なので、愛称をつけることになり、働く（Labor）と挑戦（Challenge）の２つを組み合わせ「エル・チャレンジ」とした。

1999（平成11）年６月３日に、大阪市内のKKRホテルで設立の報告会が盛大に開催された。華々しい発足ではあったが、実のところ、訓練現場が確保できるのかという不安と開店休業になるのではという危惧もあった。しかし、大阪府が行政の福祉化へと大きく舵を切ったことが追い風となり、エル・チャレンジは、力強く踏み出せることとなった。その追い風の最たるものが、政策的随意契約の取り組みであった。

エル・チャレンジの理念

①障がいのある人などの「幸せ」の実現のために

障がいのある人などの長い人生のライフワークを考え、常に当事者の立場に立つことを忘れず、寄り添い共に支え合える関係の構築をめざす。

②ソーシャルインクルージョンの理念のもとに

障がいのある人にかかわらずすべての人の孤立や排除から社会の構成員として包み支え合える社会を目指し、関係法人にとどまらず様々な機関とのネットワークを構築することで新たな公共の担い手としての役割をめざす。

③産業と福祉の中間的支援機関として

社会人としての自立した生活を目指すには、社会福祉という領域にとどまらず、様々な視点から支え合える仕組みづくりが必要で、働き続けるためには産業界とのつながりも重要である。私たちは、産業と福祉の中間的支援機関としての役割を担う。

エル・チャレンジ活動方針

①「働く機会」を生み出すことが「働く意欲につながる」
②「働きたい、働き続けたい」という思いの実現
③「施設なき（のいらない）授産」～就労支援の効率化～
④当事者の発達や成長、特性に合わせた支援
⑤当事者や家族に寄り添った支援
⑥福祉・労働（産業）・教育の中間支援機関として

2　政策的随意契約（2号随契）の導入

随意契約とは、金額によらず相手先を選定できる契約である。大阪府など地方自治体の契約を規定する地方自治法第234条第1項・第2項では、金額で相手先を決定する「一般競争入札を原則とする」ことが示さ

れている。そして、その例外として、地方自治法施行令第167条の２第１項第２号では、随意契約の条件として「性質又は目的が競争入札に適しない場合」を示している。

1999（平成11）年、設立当時の大阪府では、知的障がい者の雇用状況は遅々として進まず、知的障がい者の雇用を促進することは、大阪府の重要な政策課題でもあった。このことを踏まえて、大阪府はビックバンの清掃委託契約の目的に「知的障がい者の雇用促進」を掲げた。そして、エル・チャレンジは雇用促進の具体化に向け、府有施設の清掃業務を知的障がい者の雇用ではなく、民間企業における雇用促進のための訓練（就労支援）と位置付けた。このことで、政策目的を達成するために「性質又は目的が競争入札に適しない場合」として、政策的随意契約が導入された。

下記が当時の大阪府の随意契約理由書だ。

随意契約理由書

本件委託の大阪知的障害者雇用促進建物サービス事業協同組合は、大阪知的障害者育成会が中心となり知的障害者等の雇用の促進のために設立され、建物サービス（清掃事業）の共同受注事業等を行い、より多くの知的障害者等の雇用の場の確保をしようとする組合である。

大阪府として、行政サービスの中で障害者の働く場、機会の提供を行う受け皿として、その設立及び設立後の運営について、必要な協力を行うとともに、そのモデルケースとして、平成11年６月に開館した府立大型児童館ビッグバンの清掃業務を当該組合に委託している。

今般、本件委託について健康福祉部長から○○○○○○に対して、別紙のとおり、大阪知的障害者雇用促進建物サービス事業協同組合の清掃業を活用した就労支援事業に対する協力依頼があった。

○○○○としても、内容を検討した結果、この趣旨に賛同することとし、同事業に協力するため、校内（園内）の清掃作業を委託するものとする。

また、本業務の遂行については、当該事業協同組合が建物サービス（清掃事業）の共同受注事業等を目的に設立された組合であるため、作業内容については熟知されており、十分可能であると判断される。

以上のことから、同事業協同組合と地方自治法施行令第167条の２第１項第２号の規定に基き随意契約を締結するものである。

大阪府では、2013（平成25）年４月に障害者優先調達法が施行され、自治体には障がい者就労施設等の受注機会の増大を図るための措置を講ずるように努める責務が定められた。従来（2004年11月の地方自治法施行令第167条の２第１項の改正）から、障がい福祉サービス事業所等の施設については、地方自治法施行令第167条の２第１項第３号の規定により随意契約ができるとされてきた一方、障がい者を多数雇用している特例子会社や、物品・役務の調達を障がい者就労施設にあっせん・仲介する共同受注窓口等は、その対象とされていなかった。

同号の規定には、知事が事業所等の追加認定をすることができる規定があることから、大阪府障がい者自立支援協議会就労支援部会での意見を踏まえ、随意契約の対象に関する認定基準を定めた。

１ 認定基準

大阪府内の次に掲げる者をこれらに準ずる者の認定の対象とする。ただし、公序良俗に反する事業を行なうなど、事業者において認定にふさわしくない事実がある場合には、認定の対象としない。

（１）　優先調達推進法に規定する障害者就労施設等（施行令第167条の２第１項第３号に定める障害者支援施設、地域活動支援センター、障害福祉サービス事業を行う施設及び小規模作業所を除く。）

（２）　優先調達推進法に規定する障害者就労施設等の共同受注窓口として契約主体となる事業者

（３）　実態として優先調達推進法に規定する障害者就労施設等と同様に、障がい者の就労機会の確保等の活動・事業を行っている事業者

エル・チャレンジは、地方自治法施行令第167条の２第１項第３号に定める障害者支援施設等に準ずる者の認定を受けることで、地方自治法施行令第167条の２第１項第２号の規定により、知的障がい者等の就労支援を目的とした清掃業務等委託事業にかかる参加意思確認公募を実施することと示されている。

下記が現在の随意契約理由書である。

随意契約理由書

本業務は、府有施設の清掃業務等を活用した就労訓練を通じて、知的障がい者等の雇用・就労による自立、社会参加の推進を目的として実施するものである。

本業務の実施にあたっては、施設等の快適な環境を確保し、建築床材等の保護及び美化の保持を図ることなどはもとより、①障がい者の態様に応じたきめ細やかな、清掃業務等による雇用・就労支援方策について熟知するとともに、生活リズムや金銭管理、余暇活動など、就労訓練生の日常生活の相談支援方策に精通している。②府内全域から就労訓練生を円滑に募集するとともに、生活面（家庭面）での課題に対応するため、地域の就労支援機関や送り出し機関との連携体制を構築している。③さまざまなテーマや課題を内容とする研修会や技能講習会の開催を通じて、障がい者を支援する業務責任者（支援スタッフ）の資質向上を図る等、高度な専門知識と豊富な経験を有し、かつ地域の関係機関との連携体制の構築により、就労訓練生の募集、就労訓練の実施から就職、職場定着支援まで一貫した支援体制を有することが求められる。

大阪知的障害者雇用促進建物サービス事業協同組合は、府内の主要な知的障がい者等の関係団体を組合員としているため、知的障がい者等の事情に精通している。また、府内の福祉施設等との間に幅広いネットワークを有しているため、府内全域から多くの就労訓練生（知的障がい者等）を送り出すことが可能であり、さらには、清掃訓練の方法を体系化したテキストを作成するなど支援する側の人材育成に取組むほか、知的障がい者の就労に関わるドキュメンタリー映画（厚労省推薦）の制作、上映など、社会一般の障がい者理解や企業等の障がい者雇用の理解促進の取組み、１号ジョブコーチ派遣など、障がい者の職場定着、企業等への相談支援の取組み、就職先の開拓、就職後の相談支援など清掃訓練修了者の就労、生活支援の取組みなどに力を注ぎ、設立当初（H11年度）より○○○名を超える就職者を輩出するなど、知的障がい者等の就労訓練等に関する豊富な知識、経験、実績を有している。

以上のことから、○○年○○月○○日に同組合を特定者とした参加意思確認の公示を行い、他に本業務の実施を希望する者の有無を確認したが、応募要件を満たす参加希望者が無かったため、同組合と、地方自治法施行令第167条の２第１項第２号の規定により、随意契約することとし、大阪府財務務規則の運用第62条関係第２項第１号により、比較見積書の徴取を省略するものである。

３　行政の福祉化へ

このように大阪府は障がい者の就労日本一を目指すという政策課題に取り組むために、エル・チャレンジと協力し、随意契約を締結した。一方、随意契約というのは行政にとっては、メリットとデメリットが混在してる。

エル・チャレンジとの随意契約では、知的障がい者の就労支援という政策課題の解決に向けて、既存業務を活用して別途予算を要するわけではないことはメリットだ。一方で、デメリットとしては、政策課題の解決につながっているか、受託者が市場を独占していないか、公平であるかといった検証や確認が不可欠となる。

そこで、まずは「政策課題を明確にすること」が必要であった。大阪府はそれを受け、行政のあらゆる分野において、福祉の視点から総点検し、住宅、教育、労働などの各分野の連携のもとに既存資源の活用をはじめ、施策の創意工夫や改善をとおして、障がい者や母子家庭の母、高齢者などの雇用・就労機会の創出や自立支援に取り組む行政の福祉化の検討を1999（平成11）年よりスタートさせた。

その目的は、

（１）雇用・就労支援の充実・強化

（２）既存資源等を活用した福祉施策の確立

（３）「行政の福祉化」の推進体制の確立

の３点であり、その結果は2000（平成12）年３月に取りまとめられた。

そして、目的の達成に向けて、５つの方向性が示された。

①緊急地域雇用特別基金の活用

②公共事業等発注における雇用、就業の促進

③既存資源の福祉的活用

④新たな雇用・就業機会の創出

⑤就業（支援）対策（行政の福祉化）の体制整備

なお、その詳しい内容については、前著『エル・チャレンジ－入札制度にいどんだ障害者雇用－』（解放出版社、2005年２月）で紹介しているので詳細は省くこととする。

エル・チャレンジは、このような大阪府の行政の福祉化政策にも後押

しされて、知的障がい者の就労支援の場を拡大していった。また、大阪府だけではなく、大阪市や府内の市町村にも働きかけを行い、民間企業や公益法人にも、知的障がい者の雇用を訴えた。その成果として、2002（平成14）年４月には、特別養護老人ホームが自主的に総合評価一般競争入札制度を試みることとなった。社会福祉法人として発注業務を活用し、知的障がい者雇用に取り組む意志を明確にし、入札参加予定の事業者に知的障がい者の雇用に関する提案を求めたうえで、価格で最終審査をするものだった。また、2001（平成13）年３月にオープンしたUSJ（ユニバーサル・スタジオ・ジャパン）では、エル・チャレンジからの障がい者雇用の提案で、訓練現場での発注や、2005（平成17）年１月に34人の障がい者を雇用した。

４　なかまの会設立

2002（平成14）年にエル・チャレンジは、就職した訓練修了生のために「なかまの会」を設立した。働き始めるだけではなく、“働き続ける”ことの実現を目指した取り組みだった。働き始めることが点であれば、働き続けることで線になる。その実現こそ、エル・チャレンジの目指すところだ。

なかまの会は清掃技術の習得だけでなく、仕事の悩みを相談したり、楽しいイベントを企画したり、働き続けるためのモチベーションを維持できる仕組みづくりの第一歩だった。

写真は、2002（平成14）年になかまの会が企画した阪神甲子園球場観戦の様子である。「阪神タイガースに優勝を！　障害者に仕事を！」という横断幕で社会に訴え、なかまの会のメンバーには「はじめてもらった給料で家族を甲子園に招待しよう」と呼びかけ

阪神タイガース応援企画

た。

始球式のあと矢野選手と記念撮影

自腹にもかかわらず、用意した435枚のチケットがアッという間に売り切れてしまった。このイベントの最後には、球場周辺をボランティアで清掃して帰るというおまけまでついている。

その想いは、毎年恒例となった、新春ボーリング大会やみんなが集まれるカフェ&バー「チャージ」の開設（2017年６月）、当事者が自分達を支え合う互助会「なかまの会え〜る」の設立へと受け継がれている。

5　自治体ビル管理契約研究会の発足

エル・チャレンジは、①大阪府が有する公共施設の清掃業務を訓練現場として活用し、②訓練をうけた障がい者を一般企業に就職させていくことで、③障がい者の就労が進んでいくという雇用促進の循環サイクルづくりを目指した。そのためには、訓練生を受け入れるビルメンテナンス企業の協力が不可欠だった。民間企業との協力がなければ、単に民間業者の仕事を奪って、障がい者の訓練場所を確保するだけになってしまう。

そこで、エル・チャレンジは、大阪府内のビルメンテナンス企業に幅広く声をかけ、障がい者雇用への理解と大阪府の行政の福祉化への理解を深めてもらうことで、エル・チャレンジの応援団を構築したいと考えた。そして、2002（平成14）年にNPO法人福祉のまちづくり実践機構による自治体ビル管理契約研究会を発足させた。

自治体ビル管理契約研究会は下記の７つについて研究を進めた。

①ビルメンテナンス業界における価格のダンピング競争の緩和

②自治体に役務を提供する業界への最低制限価格等の導入

③ビルメンテナンス業界に対する社会的評価の向上

④ビルメンテナンス業務の積算根拠の適正化（国土交通省の「建築物保全業務積算基準」の遵守）
⑤障がい者雇用に要するコストの算出
⑥自治体におけるマイナスシーリング（予算削減）の適用外
⑦ビルメンテナンス業界の実態把握

参加いただいたビルメンテナンス企業の中には、少数派ではあるが、障がい者雇用率5.5％という企業も存在し、「現場スタッフの協力とオーナーの理解があれば、障がい者雇用は可能ではないか」という意見もあった。そのことが、制度や仕組みを変えることができれば、多くの企業でも障がい者雇用が可能になるのではないかという予感をいだかせた。一方で、「毎年、下がり続けるビルメンテナンス業務の契約金額に耐えられない」「現状では、とても障がい者雇用なんてできる状況じゃない」という切実な声も多く上がった。

研究会では、1995（平成７）年から2001（平成13）年にかけての大阪府立物件すべてのビルメンテナンス業務の予定価格と落札価格を調査した。予定価格に対する落札価格の平均は約64％、最低落札額は28％であった。つまり、100万円の予定価格に対して、64万円の落札価格が平均。最低落札価格は100万円の予定価格に対して、28万円が落札価格という驚きのものだった。価格のみの入札の弊害が顕著だった。

発注する大阪府は「安かろう悪かろう」を求めているわけではない。ただ、価格だけの入札では、企業は落札するために質よりも安い価格を優先してしまう。この現状では、清掃現場で障がい者を雇用することなど、企業にとっては、大きなハードルでしかない。雇えば終わりではなく、技術の向上も定着も企業に求めるのであれば、なおさら創意工夫を促すインセンティブは必要だ。

また、ビルメンテナンス業界の実態把握では、ビルメンテナンス業で働く人が「定年後も長く働きたい」「世間に仕事を評価してほしい」という期待と、「職場がなくならないか心配」という不安を常に抱えていることがうかがえた。障がい者雇用という視点だけで、いす取りゲームをする気はない。いま働く人々を排除するわけにはいかない。

こうした現状を踏まえ、研究会では大阪府立物件の入札については、価格だけで入札するのではなく、障がい者等の雇用を評価に盛り込んだ入札方法を推進するよう、次のような要望を大阪府に行った。

①障がい者等の雇用を盛り込んだ総合評価制度の活用

②雇用のみならず、障がい者の訓練を目的とした随意契約・コンペ（プロポーザル）・分離発注など様々な契約方法の検討。

この要望は、2003（平成15）年６月大阪府が全国に先駆けて実施した障がい者等の雇用を評価項目とした「総合評価一般競争入札制度」の実現に寄与した。

６　エル・チャレンジセミナーの実施

エル・チャレンジセミナーは、2004（平成16）年に開催され、現在まで継続されているセミナーである。これまでに９回開催し、障がい者雇用や大阪府の政策、福祉のあり方や海外の状況などをテーマとしてきた。ひとりひとりの障がい者の雇用を大切にしながらも、障がい者の生活や福祉のあり方の理想を求めて、社会に幅広く発信を心掛けてきた。

以下にエル・チャレンジセミナーの開催概要と要旨を紹介しておく。

第１回

テーマ	働きたい！　そんな気持ちを実現するアイデアとネットワーク
日時／場所	2004年２月５日・６日／大阪国際会議場12階特別会議場
リレートーク	エル・チャレンジの早わかりポイント／Co（福）大阪知的障害者育成会事務局長　北尾明美氏
シンポジウム	総合評価入札制度がもたらす障害者雇用の未来

第２回

テーマ	政策としての障害者雇用を実現する新しい取り組み
日時／場所	2005年２月５日／クレオ大阪北
基調講演	まちづくりと障害者雇用／環境省事務次官　炭谷茂氏
シンポジウム	今後の政策としての障害者雇用のあり方とエル・チャレンジの役割

第３回

テーマ	社会の福祉化を実現する新しい取り組み
日時／場所	2006年２月８日／ヴィアーレ大阪
基調講演	特例子会社の新しい取り組み／㈱クボタワークス　代表取締役　小頭芳明氏
パネルトーク	あらたなしくみ「社会の福祉化」とエル・チャレンジとしての取り組み

第４回

テーマ	「働かなければならない」から「働きたい」へ　いま、日本の就労支援を問い直す
日時／場所	2007年１月23日／大阪国際会議場12階特別会議場
訪欧報告	ソーシャル・インクルージョンの実践を訪ねて／ワーク21企画代表高見一夫氏
発題１	英国における地域の障害者支援の現状と「ソーシャルファーム」
発題２	滋賀県の社会的事業所
発題３	失業は社会的排除の諸問題等の研究を通じて
発題４	大阪府における今後の就労支援

第５回

テーマ	障害者の社会参加の新たなステージをめざして
日時／場所	2008年３月11日／たかつガーデン８階　たかつ
基調講演	中間労働市場と地域社会の再生／兵庫県立大学経済学部教授　加藤恵正氏
パネルトーク	障害者の社会参加の新たなステージをめざして

第６回　10周年記念

テーマ	障がい者就労支援の広がりと可能性
日時/場所	2009年６月15日／大阪府福祉人権推進センター（ヒューマインド）
記念講演	南高愛隣会理事長　田島良昭氏
映像他	10周年記念映像上映＆エル・チャレンジのこれまでの10年これからの10年　代表理事　　冨田一幸

第７回

テーマ	働き始める、働き続ける、働く場をつくる
日時／場所	2010年６月10日／アネックスパル法円坂　なにわのみやホール
基調講演	働き始める、働き続ける、働く場をつくる／ NPO法人共同連事務局長　斎藤縣三氏
シンポジウム	障がい者が自立と社会参加できる新しいシステムの構築を目指して

第８回

テーマ	楽しくはたらき、楽しく生きる
日時／場所	2011年７月４日／アネックスパル法円坂　７階
基調講演	楽しくはたらき、楽しく生きる／東北大学名誉教授　菊池武剋氏
分科会１	働き続けるための契約制度
分科会２	働き続けるためのサポート体制

第９回

テーマ	働きたい！　学びたい！　幸せになりたい！　そんな願いを実現する社会の仕組み
日時／場所	2016年４月９日／アネックスパル法円坂
基調講演	今後の社会福祉制度改革を考える／（独）行政法人福祉医療機構福祉医療貸付部部長　道躰正成氏
分科会１	働きたいを実現するための社会の仕組み「政策入札研究フォーラム」
分科会２	制度にとらわれない就労支援のカタチ
分科会３	障がいのある人の学びたいを実現するために
分科会４	生活困窮者自立支援法について考える

第1回は、2004（平成16）年の2月に「働きたいそんな気持ちを実現する」をテーマに、エル・チャレンジが設立された経緯を含めて、エル・チャレンジの取り組みを、多くの人に理解していただくことを目的にしたセミナーであった。

第2回は、2005（平成17）年の2月に「政策としての障がい者雇用を実現する新しい取り組み」をテーマに、障がい者の雇用促進につながる、訓練現場を生み出す政策的随意契約の取り組みを紹介した。また、環境省事務次官の炭谷茂氏に「まちづくりと障がい者雇用」を講演いただき、障がい者の雇用を進めるうえでの幅広いヒントをいただいた。

第3回は、2006（平成18）年の2月に「社会の福祉化を実現する新しい取り組み」をテーマに、当時注目を集めていた特例子会社の状況をクボタワークス代表取締役の小頭芳明氏より講演をいただいた。

第4回は、2007（平成19）年の1月に「働かなければならないから、働きたいへ。今、日本の就労支援を問い直す」をテーマに、就労支援の根底には、働かねばならないという意識があるのではないか？と問題提起し、障がい当事者の“働きたい”という意識から生まれる就労支援の可能性を学ぶために、ソーシャル・インクルージョンの概念やイギリスでうまれたソーシャルファームを取り上げた。

第5回は、2008（平成20）年の3月に「障がい者の新たな社会参加のステージをめざして」をテーマに、兵庫県立大学の加藤恵正教授に「中間労働市場と地域社会の再生」を講演いただいた。障がい者が地域社会にどう受け入れてもらえるかという議論ではなく、障がいの有無に関係なく、地域の生活者として、当たりまえに社会参加を推進する取り組みを論じていただいた。

第6回は、2009（平成21）年の6月に「障がい者就労支援の広がりと可能性」をテーマに、エル・チャレンジ10年の歴史を振り返り、これからの10年をいかに進めていくのか、その可能性を検討するセミナーとなった。

第7回は、2010（平成22）年の6月に「働き始める、働き続ける、働く場をつくる」をテーマに、エル・チャレンジの設立の柱である“働く”を取り上げた。障がい者の生活に当たり前に“働く”を組み込む働く場の構築を議論し、障がい者が働きやすい、働き続けられる、“働く場の構築”こそが、エル・チャレンジの目指すところであることを再確認できるものであった。

第8回は、2011（平成23）年の7月に「楽しく働き、楽しく生きる」をテーマに、働くことを目的化するのではなく、豊かな人生を送るための1つの手段として働くことがあるというコンセプトを打ち出すことができた。

第9回は、2016（平成28）年の4月に「働きたい、学びたい、幸せになりたい、そんな願いを実現する社会の仕組み」をテーマに、前回に引き続き、働くことは豊かな人生を送るための手段であり、働くことが目的ではないことを取り上げた。その実現には、働きやすい職場を確保すること。そして、職場で障がい者自身が力を発揮し、社会に貢献できる仕組みづくりが必要であると仮定し、生活困窮者の自立や障がい者が特別支援学校卒業（後期中等教育終了）後に働くしか選択肢がない現状などを4分科会形式で議論した。

7　大阪ビルメンテナンス協会との協働

自治体ビル管理契約研究会を皮切りに、多くのビルメンテナンス企業とともに活動してきたエル・チャレンジは、個々の企業との連携だけではなく、業界団体の大阪ビルメンテナンス協会と意見交換を重ね、関係を深めてきた。そうした積み重ねが、公益制度改革に直面した大阪ビルメンテナンス協会から、エル・チャレンジとの協働事業でお互いの力を強める公益事業を検討できないかというお声がけをいただけることにつながった。それ以降、エル・チャレンジは、ビルメンテナンス協会の公益・契約推進委員会の委員として参画をしている。

この協働から生まれた取り組みとしては、①働きやすい職場をつくる「ビルメン障がい者雇用支援スタッフ養成講座」、②ビルメンテナンス産業の可能性を探る「ビルメン社会貢献セミナー」、③参加の場を広げる「天神祭りボランティア・ビルメン神輿への参画」、④雇用を生み出す官公庁の入札を考える「政策入札研究フォーラム」などがある。

①ビルメン障がい者雇用支援スタッフ養成講座（2007年～）

ビルメンテナンス業界では、障がい者が現場で活躍していたことや2003（平成15）年の総合評価入札以降、障がい者雇用を積極的に進める企業が多くなった。このことを踏まえ、2007（平成19）年から養成講座を開催している。目的は、障がいのある人の業界でのキャリアアップをサポートするキーパーソン（リーダー）養成であり、現在も継続している講座だ。

②ビルメン社会貢献セミナー（2008年～）

ビルメンテナンス産業における障がい者や就職困難者の雇用の可能性など現代風に言えば、ビルメンテナンス産業のCSV（共創・Created Shared Value）につながる取り組みなどを発信する社会貢献セミナーを2008（平成20）年から実施している。2019（平成31）年までに11回の開催を数え、障がい者雇用の工夫や公共調達を活用した雇用創出など、幅広いテーマをとりあげてきた。

ビルメン社会貢献セミナー（主催：一般社団法人大阪ビルメンテナンス協会、エル・チャレンジ）

第１回

テーマ	障がい者雇用とビルメン業界
日時／場所	2008年９月10日／大阪科学技術センター８階大ホール
基調講演	障がい者雇用とビルメン業界ビルメン業界／エル・チャレンジ理事長　冨田一幸氏
シンポジウム	大阪府における障がい者就労支援施策の現状と課題・済生会病院における障がい者雇用について・障がい者雇用とビルメン業界・これからのビルメンテナンス業界

第２回

テーマ	誰もが安心して働ける契約制度の実現に向けて
日時／場所	2010年9月29日／大阪科学技術センター８階大ホール
基調講演	社会的価値の実現を目指す自治体契約制度／（公大）福井県立大学看護福祉学部社会福祉学科教授　吉村臨兵氏
シンポジウム	誰もが安心して働ける契約制度の実現に向けて

第３回

テーマ	ビルメンテナンス業の社会的価値
日時／場所	2011年９月８日／ハートンホテル北梅田
基調講演	ビルメンテナンス業の社会的価値／国際公認証券アナリスト　小松伸多佳氏
シンポジウム	ビルメンテナンス業の社会的価値

第４回

テーマ	障がい者雇用を取り巻く現状と業界での可能性
日時／場所	2012年10月30日／大阪科学技術センター８階大ホール
基調講演	障がい者雇用を取り巻く現状と業界での可能性／ NPO法人障がい者就業・雇用支援センター理事長　秦政氏
シンポジウム	障がい者雇用を取り巻く現状と業界での可能性
その他	政策入札研究フォーラム報告

第５回

テーマ	新雇用産業としてのこれから
日時／場所	2013年10月18日／大阪科学技術センター８階大ホール
基調講演	障がい者雇用を広げるための知識と方策／（福）大阪手をつなぐ育成会　支援センターあまみ所長　辻行雄氏
シンポ報告１	病院における障がい者雇用（淀川キリスト教病院）
シンポ報告２	障がい者雇用管理について
シンポ報告３	障がい者今日の取り組みについて

第６回

テーマ	障がい者雇用と、これからの業界のあり方
日時／場所	2014年10月10日／大阪科学技術センター８階大ホール
基調講演	障がい者雇用をめぐる社会の動きと業界での可能性／文京学院大学人間学部人間福祉学科教授　松為信雄氏
シンポ報告１	病院での知的障害者雇用の取り組みと今後の課題（済生会吹田病院）
シンポ報告２	ビルメンテナンス企業における障がい者雇用
シンポ報告３	報告３

第７回

テーマ	
日時／場所	2015年12月14日／大阪科学技術センター８階大ホール
第1部講演	障害者差別解消法について／大阪府立大学大学院教授　関川芳孝氏
第2部講演	外国人技能実習制度のついて／ワイズネット事業協同組合専務理事豊田崇志氏

第８回

テーマ	新雇用産業として、人を育て、会社力を上げる
日時／場所	2016年11月11日／大阪科学技術センター８階大ホール
基調講演	世界一清潔な空港　羽田空港／日本空港テクノ㈱総務部長　佐藤輝佳氏、第２業務部　新津春子氏
報告会	新雇用産業として、人を育て、会社力を上げる

第９回

テーマ	実践事例から学ぶ！　障がい者雇用！
日時／場所	2017年10月27日／大阪科学技術センター 8階大ホール
基調講演	はたらき始める、はたらき続けるために／エル・チャレンジ理事兼事務局長　丸尾亮好氏
座談会	（大代、サクセスで働く当事者を加えて）

第10回

テーマ	公共調達における社会的価値の意義やコストの必要性について
日時／場所	2018年11月30日／大阪科学技術センター８階大ホール
基調講演	公共調達における社会的価値の意義やコストの必要性について／立命館大学政策科学部教授　岸道雄氏
報告	大阪府における行政の福祉化の推進のための提言／大阪府福祉部福祉総務課課長　奥村健志氏
座談会	大阪府福祉部次長、ビルメンテナンス協会理事、エル・チャレンジ代表理事

③天神祭りボランティア・ビルメン神輿への参画（2009年～）

歴史ある大阪ビルメンテナンス協会の社会貢献活動の天神祭清掃ボランティア活動。2009（平成21）年からエル・チャレンジにも声掛けをいただき、訓練修了生と共に、清掃ボランティアや神輿を担がせていただいている。今ではビルメンテナンス企業に就職した訓練修了生の恒例行事として根付いている。

④政策入札研究フォーラム（2011年～）

政策研究フォーラムは、エル・チャレンジがこれまで大阪府の入札制度について、様々な観点から社会的弱者（障がい者を含めた就職困難者等）の就労・継続の機会を拡大するためには、公的入札制度を改善し、民間のビルメンテナンスを巻き込んだシステムを構築することが重要だと考え、大阪ビルメンテナンス協会と共同して開催してきた。

具体的な目的は３つで、

１）エル・チャレンジ方式就労支援の「働きたいを支援」を広めること。

２）大阪方式総合評価入札による「雇用を競う」を広めること。

３）国の建築保全業務積算基準を検証し、ビルメンテナンス産業から「福祉を興す」方策を研究すること。

であった。

政策入札フォーラム開催概要

	年月日	開催場所	テーマ	報告者等
第1回	2011年7月	アネックスパル法円坂	公共調達戦略	見良津兼美氏（大阪府総務部委託物品課長） 荒木周氏（大阪ビルメンテナンス協会理事） 吉村臨兵氏（福井県立大学教授） 「育てる」公共はどこへ
第2回	2011年9月	ハートンホテル北梅田	雇用産業戦略	小松伸多佳氏（国際証券アナリスト） 「ビルメンテナンス業の社会的価値」 荒木周氏（大阪ビルメンテナンス協会理事） 吉村臨兵氏（福井県立大学教授）
第3回	2011年11月	アネックスパル法円坂	公共調達戦略を中心にしつつ、雇用産業戦略を交えた入札改革について	小松伸多佳氏（国際証券アナリスト） 荒木周氏（大阪ビルメンテナンス協会理事） 吉村臨兵氏（福井県立大学教授）
第4回	2012年4月	アネックスパル法円坂	討論会	小松伸多佳氏（国際証券アナリスト） 吉村臨兵氏（福井県立大学教授） 福田久美子氏（大阪ビルメンテナンス協会理事） 「ビルメンテナンス産業の現状とその特性」
第5回	2012年7月	北海道立道民活動センター	報告会	冨田一幸氏（エル・チャレンジ代表理事） 「政策入札とはエル・チャレンジの実践から」 吉村臨兵氏（福井県立大学教授） 「育てる入札とは」 小松伸多佳氏（国際証券アナリスト） 「新雇用産業とは」 福田久美子氏（大阪ビルメンテナンス協会理事） 「大阪における現状と課題」 **札幌の取り組みと課題** 斎藤規和氏（株式会社シムス社長） 「障がい者雇用をすすめるビルメンテナンス会社から」 石澤利巳氏（NPO法人札幌障害者支援センターライフ専務理事） 「障がい者就労支援の取り組みから」

第6回	2012年 10月	衆議院 第2議員会館 多目的会議室	報告会	冨田一幸氏（エル・チャレンジ代表理事） 「政策入札とはなんだろう」 武藤博己氏（法政大学大学院公共政策研究科教授） 「自治体の入札改革」 吉村臨兵氏（福井県立大学教授） 「育てる入札とは」 小松伸多佳氏（国際証券アナリスト） 「新雇用産業とは」 福田久美子氏（大阪ビルメンテナンス協会理事） 「大阪における現状と課題」
第7回	2013年 2月	アネックスパル 法円坂	ビルメンで働く人の実態調査報告	**パネリスト** 吉村臨兵氏（福井県立大学教授） 小松伸多佳氏（国際証券アナリスト） 福田久美子氏（大阪ビルメンテナンス協会理事）
第8回	2013年 12月	アネックスパル 法円坂	公契約条例の現状と課題について	**報告** 佐間秀和氏（弁護士） 吉村臨兵氏（福井県立大学教授） 荒木周氏（大阪ビルメンテナンス協会理事）
第9回	2014年 7月	アネックスパル 法円坂	「障がい者をはじめとする就職困難者の働く場の確保ができる入札制度の調査・研究」報告	**調査報告** 高見一夫氏（株式会社ワーク21企画） 吉村臨兵氏（福井県立大学教授） 「総合評価入札方式と公契約条例の関りについて」 **パネラー** 小松伸多佳氏（国際証券アナリスト） 荒木周氏（大阪ビルメンテナンス協会理事）

2011（平成23）年７月から2012（平成24）年まで集中的に４回を開催し、2012（平成24）年７月には中間報告書をまとめた。その報告書の概略は、

①「働きたい」意思があるにもかかわらず、労働市場に入れない、障がい者を含む就職困難者が2,000万人に達すると想定されること。

②旧来型の職業訓練（障がい者施設の授産）に代わる「中間労働市場」の創出が求められていること。

③「官公庁との公共調達」や福祉・医療・学校等の公的調達は65兆

円、500万人雇用の市場と推計され、価格至上の競争入札に代わる調達戦略が求められていること。

④３兆5000億円、200万人雇用のビルメンテナンス産業を含む「ソーシャル・マーケット（生活関連産業）」は70兆円、800万人雇用と推計され、新雇用産業（雇用創出能力の高い）としての振興政策が求められていることの４点であった。

この中間報告会を第５・６回のフォーラムとして北海道や東京でも開催し、障がい者の就労にとどまらず、就職困難者への理解とビルメンテナンス産業への認識を深める機会となった。2013（平成25）年12月の第７回のフォーラムでは、ビルメンテナンスで働く人々の実態調査報告も実施し、ビルメンテナンス産業と障がい者や就職困難者雇用の親和性が高いことを改めて示し、第８・９回では中間報告で取りまとめた方向性を推進する方策として公契約条例や総合評価一般競争入札制度の導入の可能性について議論を行った。

※ビルメン社会貢献セミナー、政策入札研究フォーラムの報告書については、エル・チャレンジHPでご確認ください。

８　全国ビルメンテナンス協会との連携（2013年～）

大阪ビルメンテナンス協会との協働事業でもある、ビルメン障がい者雇用支援スタッフ養成講座が全国協会でも着目されていたことや、大阪ビルメンテナンス協会の植松会長の働きかけもあり、2013（平成25）年には全国ビルメンテナンス協会障がい者支援専門委員会にオブザーバーとして参加した。エル・チャレンジも、大阪だけでなく全国のビルメンテナンス業界に障がい者雇用を広げたいという思いがあり、連携を大切にしている。

具体的には、全国ビルメンテナンス協会との連携により、ビルメンテナンス産業に特化した「障がい者雇用支援の手引き」や「エル・チャレンジ清掃技能テキスト」の作成、「アビリンピック大会ビルクリーニング種目の全国拡大」「障がい者就労支援をテーマとしたビルメンヒューマンフェアの開催」が実現した。

①障がい者雇用支援の手引きの作成

全国的にビルメンテナンス分野での障がい者雇用が進むなかで、全国協会では、「雇用の手法」などについての相談が各都道府県協会から寄せられていた。そこで、単に雇用するだけではなく、必要な配慮や支援、支援機関との連携などを取りまとめた手引きを作成することとなり、エル・チャレンジも協力させていただけることとなった。また、当時神奈川県立保健福祉大学教授の松為信雄氏に監修いただいた。

②エル・チャレンジ清掃技能テキスト（監修）

エル・チャレンジでは、設立当時から独自の清掃テキストを作成していた。内容は清掃業務の内容だけではなく、障がい者の特性にも配慮しわかりやすく伝える手法などを含めて掲載していた。そのテキストをブラッシュアップするために、全国協会の大島委員をはじめ、協会関係者のみなさんからアドバイスや監修をいただいた。

③アビリンピック大会ビルクリーニング種目の全国拡大に向けて

独立行政法人高齢・障害者雇用支援機構（高障機構）が主催し実施している全国障害者技能競技大会（アビリンピック）のビルクリーニング種目を地方アビリンピックに広げていきたいという全国協会の意向があった。2009（平成21）年の第31回大会から正式種目となっていたが、2011（平成23）年の第33回大阪大会でもビルクリーニング種目の採用にむけ、大阪協会と大阪府、高障機構、エル・チャレンジで協議・調整を重ね、その実現に協力した。

④障がい者をテーマとしたビルメンヒューマンフェアの開催

ビルメンヒューマンフェアは毎年、全国ビルメンテナンス協会が開催しているイベントである。2009（平成21）年の京都大会では、障がい者就労支援をテーマにシンポジウムが開催された。同年の障害者雇用促進法の改正により中小企業でも障がい者雇用の推進が求められていたことから、2008（平成20）年度に引き続き同じテーマでの開催となった。エル・チャレンジも業界と福祉の橋渡し役として、企画から参画し、大阪府の総合評価一般競争入札なども紹介されるなど、近畿の様々な取り組みを紹介することができた。

９　行政の福祉化でビルメン産業が新雇用産業に

第一部の第９章でも取り上げたが、行政の福祉化はビルメンテナンス産業の福祉化、つまり新雇用産業化を付加価値として生み出した。なかでも、総合評価入札におけるビルメンテナンス企業の実践は、新雇用産業としての業界の価値を社会に認知してもらうきっかけとなった。

これらの取り組みは、大阪ビルメンテナンス協会、全国ビルメンテナンス協会との協働や連携を生み出し、全国のビルメンテナンス企業の１つのモデルとなったともいえる。そこで、障がい者雇用を真ん中に据えたことで、自社も成長したCSV（Creating Shared Value　共通価値創造）経営の先駆でもある新雇用産業の担い手２社の取り組みを紹介したい。

１）株式会社美交工業「社会のためにはじめたことが会社のために」

1980（昭和55）年に設立。大阪市役所など総合評価入札が導入された清掃維持管理物件を受託。また2006（平成18）年よりパークマネジメント部門も立ち上げ、大阪府営公園（住吉公園・久宝寺緑地）２か所の指定管理者（いずれもNPO等とのジョイントベンチャー）でもある。2019（平成31）年の社員数はパートを含め167名、障がい者雇用率は23.57%、またホームレス等の雇用にも積極的にとりくむ。大阪府の総合評価入札の導入をきっかけに、会社として知的障がい者の雇用に取り組んだことが、事業規模の拡大と会社の成長にもつながっている。2005（平成17）年度ハートフル企業大賞受賞。2014（平成26）年度ダイバーシティ経営企業100選に選定。

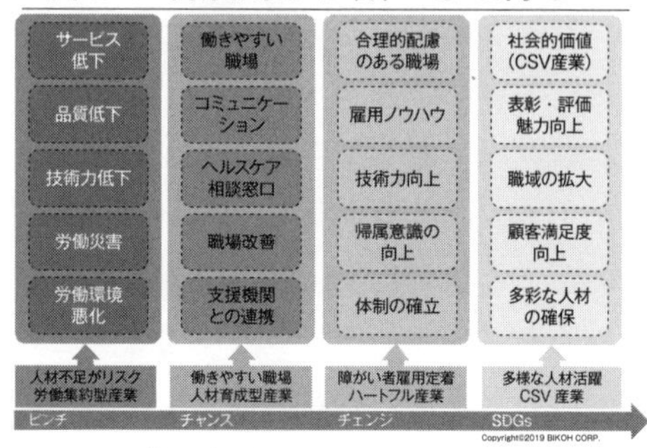

CSVまでの道程（美交工業）

知的障がい者やホームレスの雇用をすすめるうえでは、支援機関との連携を大切に、就労面と生活面の両面から支援体制を構築している。現在は、雇い入れることのみならず、キャリアアップ支援にもとりくむなど、労働集約型産業にとって人材確保という大きな課題に多様な人材が活用できる職場をつくることで対処している。

そして、「人と環境とのつながりを大切にした社会づくり」を理念として掲げ、慈善や貢献ではなく、事業活動を通じたサービスの一環として人や環境を大切にするCSV経営の先駆的な企業に成長。それを端的に表した住吉公園のコンセプト「公園で寝ている人から働く人へ」。ホームレスを排除するのではなく、行政から受託する指定管理者という役割の中で、ホームレス問題に雇用という形で応え、社会的課題の解決にチャレンジした。現在は、住吉公園・久宝寺緑地のホームレスは０となった。まさに「社会のためにはじめたことが会社のために」つながった新雇用産業（社会的企業）の先駆的取り組みである。

２）株式会社サクセス「日本初の自立支援推進室」

1989（平成元）年に設立。泉佐野市を中心に公共物件などを受託。現在は総合評価入札物件である大阪府の大阪はびきの医療センター、大阪市立十三病院など医療機関の清掃維持管理業務を受託。2016年には、自立支援推進室を設置し、誰もが働き続けられる職場づくりに取り組む。2019（平成31）年の社員数はパートを含め41名、障がい者雇用率は13.29%、2008（平成20）年ハートフル企業ランプのともしび大賞、2019（平成31）年ハートフル企業教育貢献賞を受賞。

総合評価入札が導入される以前から、人材育成を大切に、地域の若者や高齢者の方を積極的に雇用。総合評価が導入されたことにより、知的障がい者の雇用をすすめるには専門的な知識も必要と自立支援推進室を本社に設置。

自立支援推進室は働かせるための労務管理ではなく、気持ちよく働き続けてもらうための職場づくりがミッション。社内的には本社と現場、社外的には障がい者と支援機関の橋渡し役として、就労のみならず生活面からもサポート。少しの生活面の変化で仕事ぶりが大きく変わることを見てきた河本室長は「何も見過ごさない」を信念に、足しげく現場に通っている。

コロナ禍でやむを得ず、自宅待機の続く障がい者スタッフにとっては、雇用を続けるよりも、本人の好きなアート系作業所が適していると感じ、転職支援をした。退職後も本人との電話でのやりとりは続いている。また、コロナ感染予防の最前線では、そこで働く人々への誹謗中傷や忌避意識などに晒されながらも、スタッフを守るためにできる限りのことをしている。ビルメンテナンス企業は防染グッズを優先的に手に入れられるわけではなく、情報を収集し代替品を用意したり、重症化リスクの高いスタッフは現場から外し若手中心のチームコロナをつくったり。その行動は、スタッフが言ったこの一言「絶対安心はないけど、ここまでやってもらったら安心やわ」に帰結している。

オーナー・発注者のみならず、スタッフにもここまでの安心を提供できる職場は、スタッフの力を引き出すための専門部署自立支援推進室からはじまった。まさに社会包摂型の新雇用産業の担い手（社会的企業）である。

10　大阪市総合医療センター「障がい者雇用を守る集会」

2015（平成27）年11月障がい者雇用をしている企業（Ｓ社）から、「大阪市総合医療センターが、障がい者雇用を評価する総合評価一般競争入札を破棄し、価格競争を中心とした一般競争入札に変更する意向を示した」と連絡があった。大阪市の直営から地方独立行政法人大阪市民病院機構への経営のバトンタッチが行われた矢先のことであった。エル・チャレンジは、障がい者雇用のために積み上げてきた総合評価一般競争入札の取り組みを反故にすることは、大阪府の障がい者雇用の取り組みを大きく後退させることになると考えた。12月には「障がい者雇用を守る集会」を開催し、大阪市総合医療センターに対し、毅然と抗議行動をとり、これまでの総合評価一般競争入札を堅持する旨の要望書を提出した。

この経過を知った朝日放送の記者から、エル・チャレンジは取材を受けることとなった。取材当日の夕方にはテレビやネットニュースを通じて多くの方が知るところとなり、当時の橋下市長は、「障がい者雇用は絶対にきってはいけない」「総合評価一般競争入札制度に戻す」と定例の囲み取材で即日回答をした。

その背景と顛末は「第１部　第１章　解いてみよう橋下難問」に詳しいが、現行の清掃業務を受託していたＳ社で雇用されていた障がい者は、医療センターを運営する地方独立行政法人に直接雇用され、次回から総合評価一般競争入札制度に戻すことで、決着した。時系列でやり取りを振り返りたい。

2015年10月20日	エル・チャレンジ
大阪市市民病院機構へ「総合評価一般競争入札で採用された障がい者の雇用継続に関する要望書」提出	

<table>
<tr><td colspan="2">要望事項①：障がいのある人の特性を理解していただき、働き始める支援だけでなく、次回の入札では継続雇用を条件としていただき、落札企業が変わったとしても、総合評価方式を活用した働き続けられる契約制度の実現をお願いしたい。
要望事項②：障がい者並びに就職困難者を安定的に継続して雇用するにあたり、キャリアアップできる就労支援費込の労務単価を設定していただきたい。</td></tr>
<tr><td>2015年11月26日</td><td>ABC朝日放送（11：55～）</td></tr>
<tr><td colspan="2">ニュース報道：【大阪】障害者雇用業者を積極評価の入札方法を変更</td></tr>
<tr><td>2015年11月26日</td><td>橋下市長</td></tr>
<tr><td colspan="2">囲み取材にて</td></tr>
<tr><td colspan="2">要旨①：「病院機構には総合評価でやるように要請します」
要旨②：「障がい者雇用は絶対に切っちゃいけない」</td></tr>
<tr><td>2015年11月27日</td><td>ABC朝日放送（18：15～）</td></tr>
<tr><td colspan="2">ニュース報道：入札方法変更問題　橋下市長「やり直しを」</td></tr>
<tr><td>2015年11月30日</td><td>エル・チャレンジ</td></tr>
<tr><td colspan="2">大阪市市民病院機構へ「総合評価一般競争入札で採用された障がい者の雇用継続に関する要望書」提出</td></tr>
<tr><td colspan="2">要望事項①：総合評価入札における障がい者雇用は、合理的配慮の提供のもと、障がい者の事情と発注者側ならびに事業主側との相互理解の中で提供していただきたい
要望事項②：大阪市で実施していた障がい者雇用や就職困難者の雇用が実現できる総合評価一般競争入札に戻していただきたい。
要望事項③：障がいのある人の特性を理解していただき、継続雇用を条件としていただくことで、落札企業が変わったとしても働き続けられるようお願いしたい。</td></tr>
<tr><td>2015年11月30日</td><td>ABC朝日放送（18：15～）</td></tr>
<tr><td colspan="2">ニュース報道：【入札】障害者雇用「加点」方式　採用せず</td></tr>
<tr><td>2015年12月１日</td><td>エル・チャレンジ</td></tr>
<tr><td colspan="2">大阪市市民病院機構へ「質問書」提出</td></tr>
<tr><td colspan="2">質問事項①：入札変更を働く障がい者に説明していないことは「合理的配慮」の提供義務違反では？
質問事項②：一般競争入札に変更する合理的理由とは？
質問事項③：入札変更により、現状の雇用継続ができないことについて、事業主、障がい者、支援機関に事前説明がなかった理由は？</td></tr>
</table>

質問事項④：直接雇用の申し出があったが、働く障がい者の状況把握や特性を踏まえた計画的かつ具体的な申し出なのか？
質問事項⑤：入札変更は法定雇用率達成にむけて利用されたとも考えらえるが、障がい者を雇用する条件は？

2015年12月2日	大阪市民病院機構

12月1日の質問書に対する回答書

①現在雇用されている障がい者の方に不安を与え、然るべき配慮が足りませんでした。改めて関係者に対して当機構の障がい者雇用に対する考え方を説明し、不安の解消に努めたいと思います。
②総合メンテナンス方式の施設管理を実施することにより効率的な運営を図ることともに、障がい者を直接雇用することによって、「障害者雇用促進法」に定める障がい者の雇用率を達成するために実施しました。
③入札に何らかの影響がある可能性を否定できないため、公平性・透明性の観点から関係者に対して事前説明をしておりませんでした。
④今後、雇用主である現委託業者との調整や本人・家族の希望を確認する必要がありますが、現在働いていただいている総合医療センターにおいて直接雇用をし、継続して働いていただきたいと考えています。入札確定後に関係者と相談し、障がい者の特性を踏まえた具体的な内容を詰めていきたいと考えております。
⑤当機構の雇用形態や報酬につきましては、勤務時間や業務内容等に応じて、就業規則に基づき対応したいと考えています。また、基本的には現状の業務内容や労働環境を継続し、障がい者に配慮した働きやすい環境になるよう関係者と十分相談してまいります。

2015年12月4日	ABC朝日放送（0：17～）

ニュース報道：【入札】障がい者雇用めぐり要望書提出

2015年12月8日	橋下市長

囲み取材

要旨①「独法化により法定雇用率達成しなければならない義務が生じた」
要旨②「委託先が障がい者雇用をしても、発注者の法定雇用率にカウントされない」
要旨③「一般競争でも総合評価でも、いま働いている障がい者の雇用は絶対守る」
要旨④「次回からは総合評価入札に戻して、障がい者の雇用を守る」
要旨⑤「独法化は非公務員化で第一目標は経営の効率化。障がい者雇用は道義的な義務」

<table>
<tr><td colspan="2">要旨⑥「独法化で以前より公的な配慮は減るかもしれないが、より良いサービスで税負担も少なくすることを目指したもの。」</td></tr>
<tr><td>2015年12月８日</td><td>ABC朝日放送（18：15～）</td></tr>
<tr><td colspan="2">ニュース報道：橋下市長「障害者失業なら直接雇用」</td></tr>
<tr><td>2015年12月12日</td><td>ABC朝日放送（０：12～）</td></tr>
<tr><td colspan="2">ニュース報道：障害者直接雇用へ　市立総合医療センター</td></tr>
<tr><td>2016年３月１日</td><td>エル・チャレンジ</td></tr>
<tr><td colspan="2">大阪市市民病院機構へ「雇い入れ予定の方々の雇用条件に関する要望書」提出</td></tr>
<tr><td colspan="2">要望事項①：１年契約の毎年更新（５年間）ではなく、移籍する段階で雇用期間を定めない常用雇用とすること。
要望事項②：貴機構に移籍した段階で、７名の方に年次有給休暇を付与すること。</td></tr>
<tr><td>2016年３月４日</td><td>ABC朝日放送（17：28～）</td></tr>
<tr><td colspan="2">番組（キャスト）内で特集「清掃の仕事をする障がい者たちが失業の危機に晒されている。大阪の病院で起こったある騒動を取材した」</td></tr>
<tr><td>2016年３月18日</td><td>エル・チャレンジ</td></tr>
<tr><td colspan="2">大阪市市民病院機構へ「雇い入れ予定の方々の雇用条件に関する要望書」提出</td></tr>
<tr><td colspan="2">要望事項①：引き続き「期間の定めのない」雇用をお願いしたい。
要望事項②：安心して当該現場で働き続けられるようにお願いしたい。</td></tr>
<tr><td>2016年３月22日</td><td>大阪市民病院機構</td></tr>
<tr><td colspan="2">３月１日の要望書に対する回答書</td></tr>
<tr><td colspan="2">要望事項①：１年契約の毎年更新（５年間）ではなく、移籍する段階で雇用期間を定めない常用雇用とすること。
→当機構において雇用する有期雇用職員、パートタイム職員につきましては、１年間の有期雇用契約としておりますが、以下の事由を除いて、機構の都合により雇用期間の更新を妨げることはありません。また継続した雇用期間が５年を超える場合、本人より申し入れのあった場合は無期雇用といたします。
①事業の改廃
②勤怠状況、勤務態度に問題がある場合。
要望事項②：貴機構に移籍した段階で、７名の方に年次有給休暇を付与すること。
→採用後直ちに就業規則に定めた年次有給休暇を付与します。</td></tr>
<tr><td>2016年３月23日</td><td>大阪市民病院機構</td></tr>
<tr><td colspan="2">３月18日の要望書に対する回答書</td></tr>
<tr><td colspan="2">要望事項①：引き続き「期間の定めのない」雇用をお願いしたい。</td></tr>
</table>

→当機構の在職する他の有期雇用職員・パートタイム職員と同様に1年間の有期雇用契約を更新して継続した雇用期間が5年を超えた時点で本人の希望により無期雇用としてまいります。
要望事項②：安心して当該現場で働き続けあれるようにお願いしたい。
→採用後も現行の業務内容を引き続き行っていただくこととし、また支援体制も現行の体制を十分考慮し対応してまいります。5年間は他の有期雇用職員・パートタイム職員と同様に有期雇用となりますが、安心して長く働けるよう支援機関とも連携しながら継続して支援してまいります。

軟着陸できたようにはみえるが、この事件について、エル・チャレンジは2016（平成28）年4月9日に開催した第9回エル・チャレンジセミナーの第一分科会において、8つの問題点を指摘し、医療センターは総合評価入札に戻すべきだと総括した。

①突然の入札発表
「事業者」の判断で「総合評価入札から一般競争入札に変えた」だけではない。大阪市から地方行政法人への“ルールなき民営化”で、積み上げてきた公的価値を一顧だにしない判断であった。
②障がい者の雇用不安
「病院機構は発注者」で、受注者である企業だけが障がい者の雇用継続の責を負うわけではない。発注者が障がい者の継続雇用を評価したからこそ実現した現場であり、発注者と受注者で共につくりあげてきた働き続けられる職場を撤回するという判断であった。
③エル・チャレンジの抗議
病院機構の「直接雇用」は発注者の「法定雇用率の充足のための新規採用」に使われたが、そもそも総合評価で働き続けられる職場づくりを進めてきた。その意味では発注者も雇用主で、これからも使用者概念の拡大を求めていく。
④橋下市長の指示
もともとは効率性を優先して、病院機構を独法化した。病院機構は公営企業型でも地方独立行政法人（経費を事業収入で賄う）で民間団体となる。障がい者差別解消法に規定する合理的配慮は努力義務だ

が、改正障がい者雇用促進法の合理的配慮指針には抵触していたはず。そこに気づいた市長が「もとに戻せ」と指示をした。

⑤「単年／最賃雇用」で悶着

総合評価入札で勤続10年の障がい者が病院機構で直接雇用されても、最低賃金で単年度雇用の条件提示だった。「非障がい者非常勤職員と同様」と一切、譲られないまま４月を越えた。障がい者をはじき飛ばしている現実がここにある。

⑥エル・チャレンジを忌避

エル・チャレンジは知的障がい者の就労支援だけでなく、労働条件も協議する。孤立した障がい者の代理人となって、差別が起こる前に合理的配慮をその条件にも求めていく。だから忌避しようとする傾向があるのはおかしい。エル・チャレンジが代理人として認められるような協議システムが必要だ。

⑦橋下市長との約束

「元に戻す」と橋下市長は約束したが、障がい者雇用が得意の清掃会社にとって、設備と管理の一括発注の総合評価入札はハードルが高すぎる可能性がある。これまで築き上げて総合評価の形骸化が起きないか？　防ぐためにはJV方式が必要ではないか？　いずれにせよ、元に戻すのは一筋縄ではいかない。

⑧配置転換を画策

病院機構は病院清掃から事務所への配置転換を画策していた。障がい者を数合わせの雇用率対策には絶対させない。「良い仕事をするのが障がい者雇用」というコンセプトのもとで、ビルメンテナンス分野で総合評価入札が導入されてきた。次回はビルメンテナンス会社の雇用に戻し、この雇用を発注者の雇用率に算定できる“共生雇用率”のような発想が必要だ。

11　なかまの会え～るの発足

「なかまの会え～る」はエル・チャレンジがこだわってきた、安心して障がい者が働き続けることを実現する取り組みと位置付けている。働きやすい職場環境のみならず、①少しつらいことがあっても“がんばろう”“働こう”というモチベーションをうみだす仕組みとして、②つらさを乗り越えた達成感、喜びや充実感を仲間と共有できる場として、2018（平成30）年の準備会を経て、2019（平成31）年４月に設立した。

具体的には、制度に頼らず、会費を負担する互助会的な要素を取りいれ、訓練修了生と雇い入れ企業を会員とした。そこには、制度や人任せにするのではなく、当事者を中心にすえて働き続けるサポートをみんなで考えてつくっていこうというソーシャルアクションの主体を目指すエル・チャレンジがある。

2018（平成30）年４月には定着支援事業も制度化されたが、実はこの定着支援こそが、現在最も必要とされながら、なかなか機能していない分野である。定着支援事業は就労移行支援事業所等から就労した際に、その企業に長く安定して“定着”するための福祉サービス事業だ。就労して６か月経過した後に、新たな契約に基づき就職日から３年後までの定着支援が行われる。実際は通所していた事業所がそのまま定着支援をするケースが多いが、普及が進んでいない。その背景には、雇用はあくまで、当事者と企業で解決しようとする考え方や、当事者や企業がその必要性を感じていないということがあるかもしれない。そして、なにより３年間という制度の枠組みだけで定着支援が十分なのか？　十分なのであれば、大阪市総合医療センターの問題は誰にも気づかれなかったはずだ。

エル・チャレンジは、期限に関係なく、働いてからも当事者と支援者、支援者と企業の潤滑なコミュニケーションが定着に必要だと考えている。この必要性を当事者、支援者、企業担当者の共通認識として社会に広げていくことがなかまの会え～るの大きな目的である。

その目的の達成にむけ、え～るは４つの視点でサポートを提供している。

①ソーシャル・キャピタル（縁）

障がいのある人が就職した後、職場以外に社会的なつながりをなかなか持ちにくいという現実がある。また、将来に向けてのキャリアアップや新たな人間関係を広げるということもなかなか難しい状況となっている。働く障がい者の社会参加の促進や余暇の充実、また、親亡き後の問題を含めた生活全般の安定と質の向上を支える仕組みとして、週末・月例サロンや余暇活動のイベントなどに取り組んでいる。

②アウトリーチ（予防的機能）

会費制にすることで、いままでは支援機関が関知せずに離職していたケースや、会費滞納で生活上の変化にも察知できる。そのことで、定着のみならず、離職後のリスタートの応援も可能になる。会費は個人会費を月額500円、法人会費は、雇用者数に応じてランク分けし、月額3,000円～20,000円と設定し、個人会員や法人会員への定期的な巡回相談を実施している。

③アドボカシー（権利擁護）

障がい者差別解消法の理念に基づき、働く障がい者と企業が良好な関係を構築するための橋渡しを行う。その一つが年２回発行している互助会通信「え～る」である。また一方で、障がい者の権利を侵害するような事案が生じた際には厳然と立ち向かうようなアドボカシー機能を果たすため、常設の相談窓口の開設や、弁護士２名とも顧問契約を締結し、さまざまな相談やトラブルに対応できる機能強化を図っている。

④インフォーマルサービス（主体的参画）

支援は提供するもの・受けるものというフォーマルな関係性だけではなく、それぞれの状況に応じて創り出すものという発想に立って、みんながつながりあえる仕組みとして共済事業の構築を目指している。障がい者が気軽に利用できるためのサービス開発を行い、全労済などの共済事業に団体加入し、ケガや病気に対する給付を行うとともに、互助会が独自の勤続祝い金や退職一時金などの給付も行っていく予定である。また、福利厚生サービス大手企業であるリロクラブと業務提携し、リロクラブが取り扱う20万以上のコンテンツを優待価格で利用することができる。

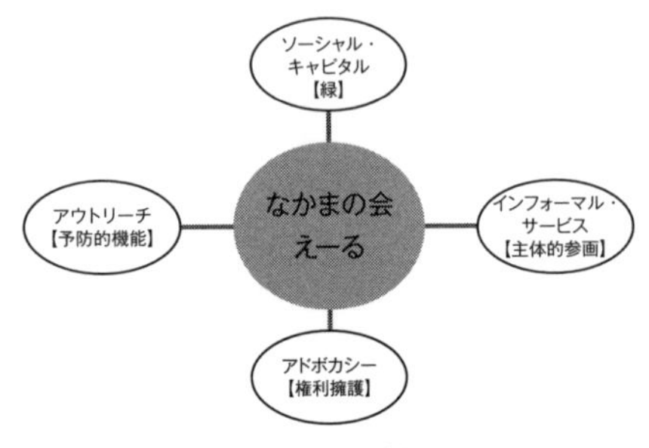

なかまの会えーるが果たす役割

12　働く障がい者の実態調査

なかまの会え～るの設立にむけて、2017（平成29）年にエル・チャレンジ修了生433人を対象に、アンケート調査「働く障がい者の実態調査」を実施し、148人から回答があった。

３割を超える回答率も驚きではあったが、８割を超える修了生が自ら回答するなど、働きながら社会体験を積み、自立の道を歩んでいる姿が色濃く見えた。その一方で、自由時間の使い方や相談相手などをみると、生活を彩る選択肢は十分ではない様子もうかがえた。「旅行や映画、カラオケ、外食をしてみたいけど、いまは、なかなかできていない」ことや、「今の仕事は続けたいけど、仕事で悩んでいる。その相談相手は職場関係の人か家族」といったことがわかった。働くだけでなく、いろんな選択肢を持って、豊かな生活を送ってもらいたい。そんな想いを強くしたアンケート結果だった。その概略を簡単に紹介しておく。

①回答者の属性

○アンケートに自ら回答（83.8％）し、平均年齢は37.7歳で、男性（81.1％）が中心で、親と同居している（70.9％）。

②仕事の状況

○平均月収は87,027円で、平日の月～金曜日の朝の平均９時３分から夕方平均15時52分まで仕事に行って、自由に使えるお金は29,648円で、飲食（74.1%）と趣味（53.7%）に使うことが多い。

○仕事にはおおむね満足（満足度0.74ポイント）していて、いまの仕事を続けたい（53.4%）と考えている。一方で､転職したい（18.2%）と考えているメンバーも少なからずおり、仕事の満足度は低い（満足度0.11ポイント）。でも、次につきたい具体的な仕事は「清掃」が１番人気（６件）で、清掃を極める職人気質。

③自由な時間の過ごし方について

○自由時間は大体決まっていて（56.1%)、仕事のある日は、仕事終わりの夕方平均16時12分から夜平均19時47分までの３時間32分が自分の時間。休みの日は、朝の平均８時48分から夕方平均18時14分ぐらいまでの９時間26分が自分の時間。

○自由時間はテレビをみたり（51.4%)、買い物に行ったり（27.7%)、ゲーム（26.4%）やスマホ（22.3%）で時間を過ごすことが多い。ただ、年代別に大きな違いもあり、40歳以上は「テレビ」、20・30歳代は「ゲーム」「携帯・スマホ」「パソコン」が多い。また、やってみたいことでは､「買い物や旅行」（25.5%）に行ったり､「ゲーム」（23.5%）をしたいという声が多い。

○やってみたいこと（希望）からやっていること（現状）のギャップを比較すると、一番やってみたいことは､「旅行（22.1ポイント)」と「カラオケ（8.5ポイント)」「映画（7.9ポイント)」が多くなっている。

○自由時間はひとり（62.8%）か家族（母親・45.9%、父親27.7%、兄弟姉妹15.5%）と過ごしていることが多く、家族以外では友だち（職場以外：22.3%、職場：6.1%）とガイドヘルパー（14.2%）が多くなっている。年代別にみると、世代が高くなるほど「家族」と過ごす割合が減少している。また、若い世代は「友達」と過ごしたいという希望が多くなっている。

○ただ、３人のうち１人は自由時間に利用する場所がない（33.1%）と感じている。

④悩みごとついて

○悩みごとを持っている人は３人に１人の割合（29.1%）で、相談したいことは仕事（67.4%）のことが多く、相談するのは職場関係（46.4%）か家族（41.1%）や作業所時代の支援スタッフ（41.1%）となっている。エル・チャレンジの支援スタッフ（7.1%）や相談窓口や専門家（12.5%）など第３者的な相談機関の利用は少ない。

⑤働くようになって変わったこと

○働くようになると「経済面」だけでなく、全６項目「人とのつながり」「興味の広がり」「外出頻度」「活動範囲の広がり」「健康・体力面」に好影響があったと感じている。特に活動範囲（0.68ポイント）や外出頻度（0.53ポイント）、人とのつながり（0.52ポイント）で良くなったと感じている割合が多い。

なかまの会え～るはまだまだこれからの事業ではあるが、こうした実態を踏まえ、障がい者が安心して働くことのできる職場環境といきいきと生活するための環境の構築を目指し、互助的に支え合う仕組みで、制度やサービスの谷間にある課題に対して継続的な活動をしていきたい。

第2章　障がい者の多様な働き方を応援
～エル・チャレンジのオルタナティブ

1　事業協同組合から生まれた２つの一般社団法人

エル・チャレンジは、「大阪知的障害者雇用促進建物サービス事業協同組合」という名前の通り、「知的障害者」の「雇用促進」を「建物サービス」で実現する「事業協同組合」であり、中小企業法に認められた共益団体である。組合員への清掃現場による就労訓練業務を中心とした、共同受発注を担う組織として、国に認められた団体である。逆に言えば、どんな事業でも共同受発注できるわけではなく、取り扱う業務には一定の制限が加えられている。つまり、障がい者全般の就労の実現にむけて活動ができない。一方でこれは共益団体であることが明確になったともいえる。そこでエル・チャレンジは、同じ組合員を社員とする一般社団法人エル・チャレンジと一般社団法人エル・チャレンジ福祉事業振興機構を設立し、新たな挑戦を企てた。

2　一般社団法人エル・チャレンジ　働くための学びの場「えるえる」の挑戦

エル・チャレンジの清掃現場を活用した就労訓練から、一般企業等に就職できる障がい者は約３割。残りの７割は訓練終了後、再びＡ型やＢ型、就労移行支援事業所などのサービスを受け、それぞれが希望する就労の実現を目指している。

エル・チャレンジは福祉と労働の隙間を埋めるための中間支援組織として、福祉でも労働でもない第３の道として、ソーシャルファームのような誰もが尊厳をもった働き方のできる社会資源づくりの必要性を痛感していた。また、もう少し時間をかけて基本的な職業生活習慣の習得を目指す訓練現場の必要性を感じ、自らが就労移行支援事業所に取り組むこととした。そこで組合とは別に、一般社団法人エル・チャレンジを設立し、就労移行支援事業所を立ち上げた。その実践が2012（平成24）年4月に設立した就労移行支援事業所と2014（平成26）年に設立した就労継続支援B型を総称する「えるえる」だ。

「えるえる」のコンセプトは、Labor（労働）とLearning（学び）を取り組みの中心に、「福祉の場」と捉えるのではなく、「働くための学びの場」として、社会人・職業人としての意識や習慣を身に着け、その自立と社会参加をサポートすることを目指している。家庭での炊事・洗濯・掃除といわれた基本的な職業生活習慣を確立するために、清掃以外にカフェの運営、公園での植物管理、事業所内では社会生活において必要な要素となるプログラムを構築した。

3　「えるえる」の3つの視点

就労支援とは「就労するための支援」であるが、スキルのみに焦点を当てるのではなく、生活全体を視野に入れた取り組みを重視している。それは、働くことのみならず、多様な方法で地域や社会とつながり、誰もがその人らしく生き、幸福を実現するうえでとても大切であり、「生活全体の支援」という観点から、ライフマネジメントを意識した支援を行っている。

例えば、「働く」ことをその人の人生として捉え、就労するためのスキルを重視するだけではなく、利用者の人生観や価値観、そこに至るまでの生活歴などを重視する支援を行っている。だから就職できるか否かによって支援を進めていくのではなく、障がい当事者のライフワークを見据えた支援が重要であり、その後の就労の継続性や安定性の確保の視点から長期的展望に立った就労支援を行っている。

そのためには、「働く」ことだけではなく、働き続ける取り組み、生活の質も高める取り組みを大切にする「えるえる」の活動方針を紹介したい。

えるえる活動方針

①働きたい気持ちに応える
「働きたい」という思いの実現に向けて、「働き始める」から「働き続ける」までをサポートします。

②就労を通じた個別プログラムの充実
社会的・職業的自立と自己実現を目指して、利用者一人ひとりのライフステージに寄り添った個別支援を行います。

③利用者本人を中心に据えた「支援」と「相談」
本人を中心とした合意形成の過程を大切にしながら、課題の発見や成功体験を味わう過程での「支援」と「相談」をしっかり行い、本人の自己肯定感が高まるよう支援します。

④多様な働き方の提案
「就労できるのは誰か」ではなく「どうすれば就労できるのか」を追求します。

⑤社会への積極的な参画
障がいのある人が社会の中であたり前に働くことができるよう、支援や活動を通じて地域社会との交流を深め、誰もがその人らしく働き、その人らしく生きる、そんな共生社会をデザインします。

４　「えるえる」の４つのこだわり

１つ目は①ビルクリーニング（清掃業務）。ビルクリーニングは就職を目指すトレーニングとして効果的である。基本動作は“はく・ふく”と明確だが、多種多様な場所があり、お客さんの有無やひとり現場やチーム現場など、それぞれの特性や試したいことに対応できる。正確に清掃することを習得すれば、時間内で完了することを目指すなど、個々の状況を加味して、ステップを踏むこともできる。

２つ目は②社会の中で訓練。施設なき授産のコンセプトとも重なるが、用意された施設では、リアルな実践を体験することは難しい。実際の清掃現場での訓練や実習を通じて、体験するリアルな失敗や成功こそが実感を持った次のステップにつながる。それが、社会の中で訓練にこだわる理由である。

３つ目は③無理なくステップアップ。就労継続支援Ｂ型を立ち上げた動機にもなるが、就労移行支援２年間を超えて、就労までの時間を必要としている利用者がいる。利用者の個別の状況に合わせて、「働きたい」気持ちを育て、就労に結び付けるには、無理なくステップアップできる仕組みを用意することが不可欠である。例えば、「定期清掃を中心としたチーム」がある。これは、一般就労だけではなく、清掃業務を通じてより高度な作業を自ら極めていくという働きがいを大切にした作業だ。

４つ目は④自分らしい働くを応援する。これは、利用者のやりたいことだけを応援するということではない。利用者自らが「やってみたい」と挑戦し、成功と失敗体験を重ねながら得意・不得意を理解し、選んでいくことを応援するということである。そのためにも、生産活動では利用者が選択し、自分は何が得意なのか、どのような職種があっているのかを学べるよう、清掃のみならず、植栽管理、カフェ・売店などでの接客販売、受注加工作業など多様な仕事を用意している。

えるえるでの生産活動の一部を紹介

清掃業務では、日常清掃と定期清掃がある。日常清掃では、事業協同組合ともつながるが、業務以外にあいさつや日報を作成するといった事務作業もある。定期清掃では、ポリシャーを使用し汚れの判断を行う作業や、床を維持するためのワックスを床面にまんべんなく塗布するといった高度な作業を行うことで仕事への取り組みや集中度をアップさせ、社会の中での自分たちの価値を高め評価していただける。

植栽作業では、苗圃での育苗から公園内で花壇やハンギングををデザインしたり、自分のデザイン通りに植え替えを行う一貫したプログラムを構築することで、スタッフとともに、公園に関わるすべての人々が植物や園芸活動を通して、健康づくりや生きがいづくりのために活動しようとするものです。

カフェでの作業では、料理を作る、下膳配膳といった業務を通じて、食材や栄養といったことから日ごろの食生活を考えるきっかけや衛生管理にも配慮ができる。また、お客さんと直接対応することであいさつや対応など自信につながる支援ができる。

こうした４つのこだわりもあり、「えるえる」を経て就職した人は、清掃のスキルを武器に多種多様な職場で活躍している。それは、多様な職種を経験した人は、時間とともに協調性や責任感などが身につき、仕事に対する適応力が養われていくからであり、利用者自身がこの仕事をやってみたい、自分に合っているという思いからスタートする就労支援を志向しているからであると考えている。

5　エル・チャレンジ福祉事業振興機構　持続可能な工賃向上の仕組みづくり

国が「工賃倍増５か年計画」を打ち出した2007（平成19）年頃、エル・チャレンジの、清掃現場における就労訓練の取り組みは、訓練生を送り出す授産施設や多くの事業所と連携・協働を生み出していた。そのことで生活・就労の両面からの支援が可能となり、一定の成果を残すことができつつあった。一方で、多くの授産施設は2006（平成18）年10月に障がい者自立支援法が完全施行されるなど、「措置から契約へ」という、2000（平成12）年から続く「福祉の基礎構造改革」という大転換の真っただ中にあった。

国の目論見は「工賃倍増」の名の通り、就労継続支援Ｂ型事業所及び授産施設の工賃水準を倍増させ、障害年金を始めとする社会保障給付等による収入と合わせて、地域で障がい者の自立した生活を実現しようとするものであった。また、エル・チャレンジが培ってきたネットワークを活かすこと、作業所の工賃が安すぎるのではという問題意識も相まって、工賃倍増５か年計画に立候補することとなった。

提案内容の特徴は、十把一絡げにすべての事業所を対象とするのではなく、「この指とまれ」方式で工賃倍増計画に賛同した事業所に、2008（平成20）年から2011（平成23）年の計画シートを作成してもらうことだった。その提案に至った背景には、働きたいけど、働けない人の居場所を求めて作業所というコミュニティを構築してきた方々の想いと、工賃が低すぎるためなかなか自立できないという苦悩を否定しないこと。

工賃倍増はしなければならないのではなく、「やっていこう」という自発的な事業所の行動がなければ実現しないと考えたからである。その結果、事業協同組合エル・チャレンジが、工賃倍増計画の受託者に選定された。

2012（平成24）年以降「工賃倍増計画」は「工賃向上計画」に名を変え、事業は継続されたが、エル・チャレンジとしては、国や府の事業の有無にかかわらず、持続的に工賃向上の取り組みを推進する必要性を痛感し、一般社団法人エル・チャレンジ福祉事業振興機構を設立した。

6　工賃倍増計画の5年間（2007～2011年）

工賃倍増計画は、2007（平成19）年からスタートした。当時の大阪府の授産施設の平均工賃は7,990円で、全国平均の12,222円と比較しても、その差は大きく、全国最低の不名誉な記録であった。計画途中の2010（平成22）年度の平均工賃も9,244円で、全国平均の13,088円を下回り、全国で最も低いままであった。

比較的小規模な施設が多く、工賃を向上させるため計画や方向性などに人員を割く余裕がないのではないか？　下請け仕事が中心で自社製品の開発が未熟なのではないか？　施設外の授産活動を十分に取り込めていないのでは？と分析し、外部アドバイザーや商品開発、効率性の向上、共同受発注などにも取り組んだが、5年を経過しても、なかなか成果としては表れない日々が続いた。

とはいえ、1つの成果もあった。「この指とまれ」方式で参加の意思を示していただける授産施設等が増加したのだ。2008（平成20）年の参加施設は、対象施設833施設に対して、166施設の参加だったが、2011（平成23）年には、事業対象施設686施設に対して、参加施設が346施設となり、「やっていこう」という施設は文字通り、倍増していた。府全体の工賃そのものは倍増していないが、2010（平成22）年の事業参加施設の月額平均工賃は9,605円で、事業未参加の施設を含めた大阪府の平均工賃9,244円よりも高くなっていた。

7　工賃向上計画支援事業へ（2012年〜）

工賃倍増５か年計画の成果としては、大阪府域での関係機関や商工団体等の関係者との連携体制の確立ができたことや、事業参加事業所数が倍増した事などがあった。一方で、課題としては、十分な工賃の向上や市町村レベル・地域レベルでの関係者の理解や連携体制などの確立があった。

地域差はあれども、この状況は大阪府のみならず、全国的にも同様で、国としては引き続き工賃向上のための取り組みとして、2012（平成24）年度から工賃向上支援事業を継続することとなり、一般社団法人エル・チャレンジ福祉事業振興機構として事業を受託することとなった。

2013（平成25）年には障害者優先調達推進法も施行され、2014（平成26）年には障害者権利条約も批准された。官公需の拡大を通じた事業所支援や障がい者雇用の推進や社会参加が強調されながらも、2017（平成29）年度の大阪府の工賃は11,575円と、まだまだ低い。就労継続支援Ｂ型事業所で支払われる工賃では自立して地域で生活するには程遠いのが現実である。

とはいえ、障がい者を「保護」の対象ではなく「権利」の主体者と捉え、ソーシャル・インクルージョンの理念に基づく自立をサポートする福祉は今後ますます必要となる。工賃のみならず、福祉的就労を担う事業所の役割は、障がい者一人ひとりの障がい特性に応じた個別支援を通じて、ディーセントワーク（働きがいのある人間らしい仕事）を実現することも大切だ。

労働と工賃という関係だけではなく、仕事を通じて充実感や達成感を得ることや、働くモチベーションなどを生み出す価値も高い。障がい当事者と事業所のニーズの多様性と自己決定を尊重しながら、一般市場（社会）との関わりの中で、働く場を創りだし、最低賃金をはるかに下回る工賃はおかしいという、明確なメッセージの発信と、多様な働き方を認め合える社会づくりに貢献していきたい。

第３章　社会に出る前にもっと学ぼう
～L's Collegeおおさか

1　設立の経緯～あえて遠回りしよう

エル・チャレンジは、「学ぶ」「働く」「暮らす」を充実させてこそ、豊かな人生を送れると考えている。これまで、公共施設での就労訓練や「えるえる」での取り組みを踏まえて、知的障がい者の働く、働き続けるを大きなテーマに取り組んできた。しかし、社会情勢が変化し高校生が大学に進学する率が60%になろうとする中で、障がいのある人や家族の意識に大きな変化が見えてきた。

兄弟、姉妹が進学する中で、障がいのある子どもだけが高校・特別支援学校（後期中等教育）卒業後に働く道筋しかないことに、不満や疑問を感じ始めていた。エル・チャレンジも、これまで中途退職者にも清掃訓練を実施し、一般就職を目指す取り組みをするで、中途退職をさける取り組みができないかと考えていた。なぜ、中途退職が生じるのか、それは「働く」ことはできても、「働き続ける」ための力が不足しているのではないか？と考え始めた。

では、働き続けるための力とは何か。それは、心の豊かさであったり、自己肯定感であったり、自己中心的な行動ではなく、相手を意識した行動がとれるかどうかであったり、柔軟性であったりという、スキルとして表面にはなかなか見えないが、大人の社会に入っていくための基礎的な力であると考えている。その力を育てるためには、どうすればいいのか。我々は、卒業後すぐに働くのではなく、遠回りをして、学校教育の延長の中で、心と体を一歩成長させるための取り組みが必要であると考え、特別支援学校を卒業した生徒に対する教育（学び）の場を設立することとし、2012（平成24）年からエル・チャレンジ内部でそのための勉強会を開始した。そして、2015（平成27）年４月にL's College おおさかを立ち上げた。

基本構想は、自立訓練を活用した「学び」の場であった。働くための学びではなく、まず、生活を豊かにする「学び」というのが基本コンセプトであった。また、エル・チャレンジは、知的障がい者の大学設立も目指しており、まず、自立訓練のL's College おおさかを設立し、2016（平成28）年には自立訓練利用後の受け皿として就労継続支援Ｂ型を活用したL's College Plusを設立した。ただ、名前が異なると一体感が薄くなるという意見を踏まえて、2019（平成31）年４月にはL's College おおさかに名称を統一し、１回生・２回生の基礎過程と３回生・４回生の応用過程としてリメイクした。

２　「学び」への挑戦　～自分で考え自分で行動する力

L's College おおさかは、生活に根差した学びを大切にしている。各教科の力をつけることは必要だが、生活の場で培った力を発揮できることを目指している。社会人として生きていくためには、「自分で考え、自分で行動する力」が大切であり、我々は、学びのための学びではなく、学びの中で生きる力を育んでいきたいと考えている。そのために、少人数の集団と教科にこだわらない総合的な学習や体験的な学習を多く取り入れ、仲間と楽しみながら学ぶことを基本としている。我々の「学ぶ」という取り組みが、進路選択の一つとして定着してくれることを心より願っている。

産経新聞

知的障害者の自立を支援

福祉事業型学校で公開授業

学生募集の開始が2014（平成26）年11月で、ほとんどの特別支援学校においては、進路が確定していたことも影響し、第一期生は８名にとどまったが、新たな「学び」への挑戦が始まった。2015（平成27）年４月の開校記念の公開授業は産経新聞の取材も受け、気持ちがより引き締まった。

3　取り組みの特色～社会人としてよりよく生きるために

福祉型の学校であることを特色とし「働くための準備」に重きを置くのではなく、「社会人としてよりよく生きていくため」の基礎力を高める学校教育に準じた教科とカリキュラムをその特徴とした。１コマを50分とし、１日を５コマの教科で構成し、下記の10項目を意識したカリキュラムを策定した。

①個々の障がい特性を把握し、グループ学習により学力向上を図る。

②国語・数学は、学力より自分で考えることを重点に置き、習熟別に４グループを設定し、少数での学習を中心とする。

③学習評価表を作成し、集団行動や論理的思考の構築、リーダーシップや判断力の評価等により、多面的な情報を視覚化し、家庭との情報共有と振り返りをしながら学習の深化に貢献する。

④体験学習や人前での学習を多く取り入れ、自己肯定感が乏しくなりがちな知的障がい者だからこそ、自信をつけてもらうことに努める。

⑤ICT教育（PC・電子黒板等）を取り入れ、教科への興味や関心を深める取り組みに努める。

⑥校外学習や修学旅行の計画を生徒会に一定委任するなど、生徒会活動を充実させ、自分たちで考え行動する習慣を身に着ける機会を増やす。

⑦教科学習から美術工作まで幅の広い学習を組み込み、対人関係や発表力、集団行動の理解などにも取り組むことで、多面的な学習の場をつくる。

⑧課外活動として、自主学習の時間を設け、帰宅時間を当該学生に選択させ、放課後活動を充実させる。

⑨授業の様子や体験活動などの様子をSNSで配信し、学校と家庭の温度差をなくすための工夫に努める。

⑩大学と連携して、同じ年代の学生と模擬店などの運営活動を実施し、対人関係の広がりづくりに貢献する。

生徒会選

プール学習

理科の授業

企業による出前

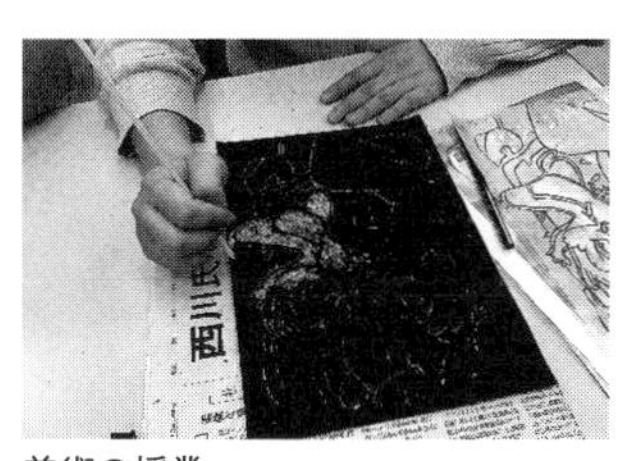
美術の授業

マナー研修

参考１）学習評価表

・L's College おおさかの学習評価は、学生が社会に出た時に必要となる力が視覚的に捉えられるように工夫している。

・16の項目が、L's Collegeから学生への視点そのものといえる。

・評価は成績ではなく、保護者と

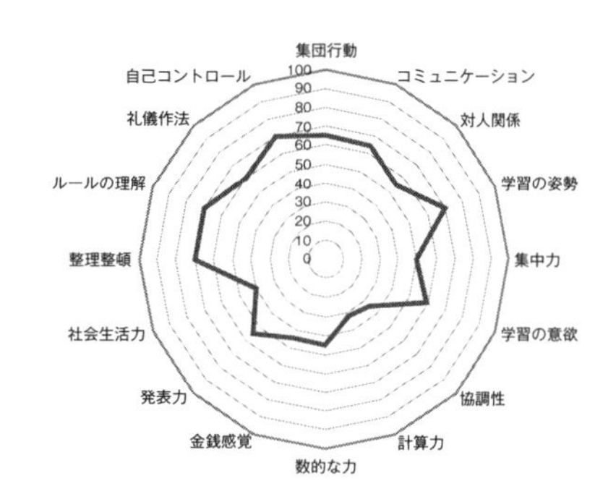

課題や情報を共有するツールとして活用している。

参考2）週間プログラム例

<table>
<tr><th></th><th></th><th>月</th><th>火</th><th>水</th><th>木</th><th>金</th></tr>
<tr><td></td><td>9:00
9:15</td><td>ホームルーム</td><td>ホームルーム</td><td>ホームルーム</td><td>ホームルーム</td><td>ホームルーム</td></tr>
<tr><td>1</td><td>9:15
10:05</td><td>生活数学
（生活に生かす数の力）</td><td>コミュニケーション国語
（読む・書く・聞く・発表の力）</td><td>生活数学
（生活に生かす数の力）</td><td>生活社会
（社会生活の視野の広がり）</td><td>外国語
（コミュニケーションの多様化）</td></tr>
<tr><td></td><td>10:05
10:20</td><td>休憩</td><td>休憩</td><td>休憩</td><td>休憩</td><td>休憩</td></tr>
<tr><td>2</td><td>10:20
11:10</td><td rowspan="3">ものづくり調理実習特別活動
（レザークラフト・ペーパークラフト・美術等）</td><td>音楽
（自己表現と集団活動）</td><td>コミュニケーション国語
（読む・書く・聞く・発表の力）</td><td>生活理科
（生活の中の理科）</td><td>身体・健康
（自身の体を知る）</td></tr>
<tr><td></td><td>11:10
11:25</td><td>休憩</td><td>休憩</td><td>休憩</td><td>休憩</td></tr>
<tr><td>3</td><td>11:25
12:15</td><td>基礎学習
（教科等の反復）</td><td>クラブ活動
（コース別）</td><td>漢字学習
（級別での学習）</td><td>課題自主学習
（学習課題への解決力）</td></tr>
<tr><td></td><td>12:15
13:15</td><td>昼休み</td><td>昼休み</td><td>昼休み</td><td>昼休み</td><td>昼休み</td></tr>
<tr><td>4</td><td>13:15
13:55</td><td>課題自主学習
（学習課題への解決力）</td><td>校内清掃
（衛生と清掃）</td><td rowspan="4">情報
（パソコン学習）</td><td rowspan="4">体育／生徒会活動
（グラウンドでの体育）</td><td>校内清掃
（衛生と清掃）</td></tr>
<tr><td></td><td>13:55
14:10</td><td>休憩</td><td>休憩</td><td>休憩</td></tr>
<tr><td rowspan="2">5</td><td rowspan="2">14:10
14:50</td><td rowspan="2">家庭科
（生活力の向上）</td><td>ホームルーム</td><td>ホームルーム</td></tr>
<tr><td>14:30　下校</td><td>14:30　下校</td></tr>
<tr><td rowspan="2"></td><td>14:50
15:15</td><td>ホームルーム</td><td rowspan="2"></td><td>ホームルーム</td><td>ホームルーム</td><td rowspan="2"></td></tr>
<tr><td>15:30</td><td>下校</td><td>下校</td><td>下校</td></tr>
</table>

参考３）学年別の目標

《１回生》

4月　5月　6月	7月　8月　9月
新しい環境に慣れ,安心、安全に学校生活を送るためのルールを学びます。	学習場面において、集団行動や協調性、自己表現の向上を目指し、意欲や集中力を養います。
10月　11月　12月	1月　2月　3月
体験学習等により、他者との関わりを楽しみ、達成感や充実感を味わう力を育てます。	儀式的な活動に積極的に参加することで、意欲と責任感を育成します。

《２回生》

4月　5月　6月	7月　8月　9月
学校行事に積極的に参加し、上級生としての意識を養います。	大学連携等により、同世代を意識した取り組みをすすめることで、これまで獲得した力の深化を図ります。
10月　11月　12月	1月　2月　3月
進路を意識し、次のステップへの自覚を促すことで、見通しをもって学習することを学びます。	儀式的な活動に主体的に参加しルールや礼儀の大切さを学び、自己表現の深化を図ります。

《３回生》

4月　5月　6月	7月　8月　9月
大学交流等の社会体験の中で、必要なルールを学び、作業学習を通じて働くための力の基礎を育成します。	
10月　11月　12月	1月　2月　3月
社会で必要な学びを継続するとともに、働く体験等を通じて、働く意識と生活力の向上にむけた取り組みを強化します。	

《４回生》

4月　5月　6月	7月　8月　9月
自主性的、主体的な学びをステップアップさせる中で、作業学習の精度を高め、働く意識と体の育成を図ります。	
10月　11月　12月	1月　2月　3月
卒業後に向けて、外部実習を通じて社会人としての意識と働く意欲を培います。	４年間の仕上げとしての実習を通じて、働く意欲と自信を養い、卒業後の準備を整えます。

４　L’s College おおさかの現状

2018（平成30）年４月から１年間、大阪府と連携し、文部科学省の「障害者の多様な学習活動を総合的に支援するための実践研究」を受託した。その目的は、「学校から社会への移行期や人生の各ステージにおける効果的な学習に係る具体的な学習プログラムや実施体制等に関する実証的な研究開発を行い、成果を全国に普及すること」であった。

障がいのある子どもだけが後期中等教育（高校）を修了してすぐに働く道筋しかないことに疑問を抱く親が多く、「学びの場」へのニーズの高まりは全国に共通するものであった。研究の一環として実施した、大阪府内の知的障がい対象の特別支援学校保護者に対するアンケートでは、「卒業後の進路」について、約４割の保護者が「就労以外」と回答していた。

L's College おおさかを選択した家族との意見交換でも「18歳で社会に出ていくのはまだ早い」「兄弟姉妹が大学に進学する中で、障がいのある子どもが高等学校等を卒業して、すぐに社会に出ていくこと、あるいは働くことに対し、納得していない」「自分の子どもが社会に出て、どのような生活を送るのかが見えてこない」という声がほとんどで、アンケート結果と同様の傾向だった。

障がいのある人は、何かしらの発達的遅れがみられる。つまり、発達的にゆっくりと成長していく。その成長は、生活年齢とは異なるものであり、18歳で社会に出なければならないと言われると、家族としては当然違和感を覚えざるを得ない。ゆっくりとした成長を認める環境があるのであれば、しっかりと成長してから社会に送り出したいと考えるのは無理のないことである。

参考までに、L's College おおさかに在籍している生徒像を共有しておきたい。療育手帳で見ると、Aが24％、B1が43％、B2が33％となっている。

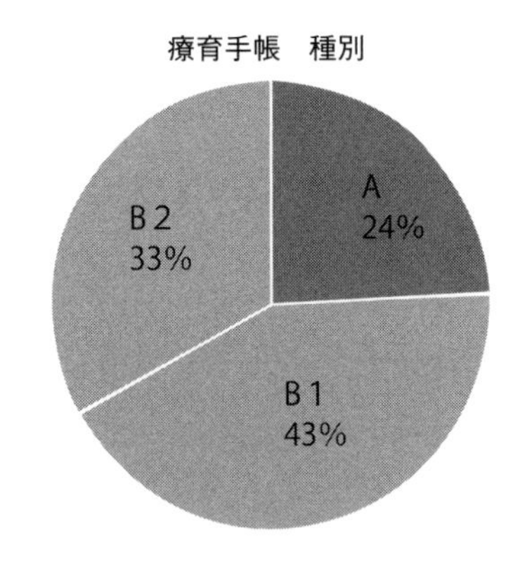

障がいのある人は、概ね様々な社会経験が不足していて、特定の環境で過ごすことが多い。そのため、安全面や移動力の乏しさ等の環境要因はもちろん、自分の力で世界を広げていくことが難しい。自らの成長速度に合わせ、何を体験していくかということは、大切なことであり、L's College おおさかは、意図的に多くの体験を味わってもらう機会を用意し、成長を促していきたい。

5　L’s College おおさか6つの課題

特別支援学校「卒業後の進路」についての期待の高まりや、５年間の実践を踏まえ、これからに向けた６つの課題と問題提起を共有しておく。

①自分で考え自分で行動するプログラムの強化

L’s College おおさかの新入生には、まず「自分で考え自分で行動すること」が身につくように工夫している。入学してすぐに行われる生徒会選挙では、立候補者は必ず、応援演説をしてくれる友人・先輩・後輩を見つけることとなっている。応援演説者が見つからないと、立候補ができないため、応援演説者を頼むことを通してコミュニケーションの学習となる。また、昼休みや放課後は、投票を行ってもらうためのアピールの場となり、新入生も先輩に巻き込まれ、演説をする羽目となっている。

次は校外学習である。校外学習は年２回あるが、場所の決定や計画は、生徒によるプレゼンテーションで決定する。図書館で借りたガイドブックやネット情報を頼りに、どこに行きたいのか、どれだけ面白いのかをアピールし、採決で決定する。自分の意見を通したいなら、人との協調性や納得させることが必要であることを学ぶ。これは、修学旅行も同様である。修学旅行の場合は、１年近く前から、どこに行きたいか、何をしたいか、どれほど面白いのかを調べ、盛大にプレゼンテーション大会を開催する。自分の意見が通らなかった人も、願いが一部かなった人も、場所が決まり、計画が進行していく中で、自分の意見を主張していくこととなり、みんなで作った修学旅行となるように工夫している。その他、色々な教科体験学習やクラス活動等、可能な範囲で生徒の意見を具体化する工夫をしている。例えば、下校時間も同様に、授業の終了時刻は決まっているが、放課後の時間の使い方は自由となる。友人に誘われて帰る日もあれば、友人と残ってゲームをしたり、宿題をしたりと、自分で決めて行動するのが、L’s

College おおさかの日常である。日々の行動を習慣化していくことで、選択的な行動が自然と身につき、日々の積み重ねが力となる。

L's College おおさかでは、日々の学習活動や行事をさらに精査し、生徒が選択的な行動をとれるよう、また、その機会を意図的に提供できるように工夫していくことが必要と考えている。生徒が、後輩を指導する場面や、生徒会役員が今以上にリーダーシップを発揮できる場面の設定、行事計画を実行に移す際の主体的な取り組み方等、今後検討が必要な課題も多い。在校生の自治や学習面での主体的な取り組みの参加を含めて、生徒自身の「自分で考え自分で行動する力」が育まれるよう、支援者の一層の努力が必要である。

②多面的なプログラムのさらなる展開

誰しも、得意なことや苦手なこと、興味のあることや興味のないことがあり、得意なことや興味のあることは、集中が持続し、苦手なことや興味のないことは集中が持続しないものである。幼い子どもに集中力や耐性を指導する場合、好きなことと苦手なことを織りまぜながら、耐性を育成していく。苦手なことの間に好きなことを挟みながら、モチベーションを上げていく。

そのためにL's College おおさかでは、多面的なプログラムを用意している。様々な要素を兼ね備えた多くのプログラムには、得意なことや興味のあること、苦手なことや興味のないこともあるが、1コマ50分で進行することにより、少し我慢すれば、次のプログラムに進むため、見通しが立つ。また、週間プログラムや月間プログラムを明確にすることにより、こだわりがあっても、対応できるように工夫している。月2、3回は、校外での学習があるため、バリエーションに富んだ学習となっている。多くのプログラムを提供すると、混乱するのではという意見もあるが、L's College おおさかでは、多面的なプログラムを採用することで、個の力が伸ばせると考えている。ただ、現状で満足するのではなく、多方面の学びを試行しながら精査し、生徒にとって、学びやすく、効果的な学習のあり方を常に求めていく姿勢が必要だと考えている。その１つとして、高等学校に文系・理系のコース設定があるように、L's College おおさかにも、文系・理系、芸術系のコースの設定をできないかといったことを検討している。どのように展開していくのか、プログラム的にどう違いを見いだしていくのか、検討する課題は多いが、様々な進路選択の可能性が広げられるよう、試行しながら、実現のための努力を怠らないようにしたい。

③体験重視のプログラムの精査と展開

L's College おおさかでは、可能な限り体験型のプログラムを実施している。国語や数学といった知識重視の学習においても、可能な範囲で体験を取り入れる工夫をしている。それは、見たり聞いたりするだけでなく、体で感じる、あるいは体で覚えるというように身体を動かして学ぶことは、障がいのある人にとっては、より具体的で、イメージしやすいからである。また、人は記憶する手がかりが多いほど、記憶しやすいことが知られている。例えば数学の学習においては、重さや長さ等、身の回りのものから校外にあるものまで、実際に測ることで体感する。また、距離においても同様に、１キロメートルを歩くことや、歩数を測ることで、体を使って学習する。理科では、実験を通じて、体感することで、学びを深めることができる。冷たさは、肌で冷たさを感じることで、体感記憶として、地震の怖さについては、震度の揺れを体感することで、記憶に留められる。

生活の中には、学ぶことがたくさんあるが、それを意図的に生徒に体験させることで、学習に組み込んでいく。障がい者の学習には、意図が必要である。つまり、知識を使うことで、知恵にしていく道筋だと考える。

ただ、現在のL's College おおさかの学習は、在籍生徒の全てが同じ体験プログラムに参加している。これを各グループが異なった体験をし、自身の経験を他者に伝えることを通じて、体験の深化を図りたいと考えている。その為には、同じ目的設定において、異なる体験を用意し、生徒の個性を勘案しながら学習するという、やや複雑な計画が必要になる。今後、どのように学習プログラムを並列的に実施するかについて、検討を加える必要があると同時に、単に体験させれば良いのかという意見にも答えていかなければならない。つまり、学ぶことについて手法を変えていくことで、体験をゴールとするのか、体験を導入とするのか、目的によって手法を変えていくのかといったことが必要だと考えている。

④移行期から青年期へ

L's College おおさかは、18～21歳までの学校から社会への、移行期の人が在籍している。人は18歳になったから、すぐに大人になるわけではない。発達は個別であるから、差があったり違いがあったりするが、L's College おおさかのプログラムは、障がい者が成長していく過程で、自分に備わっている個性を開花していくよう、多面的なプログラム構成を含め、社会人として生きていく基礎作りを目指している。その取り組みの中で、興味関心の幅が少しでも広がっていけば、より豊かな人生を歩んでいけるのではないか。

豊かな人生を送るためには、楽しみが必要であり、その幅を広げていくためにも、学校卒業後の移行期において、多くの経験を積み、学ぶことを通して、興味関心の幅を広げていくことが、豊かな人生を送る糸口になる。

⑤学び続けるために必要なこと

L's College おおさかは、自立訓練（生活訓練）事業を活用して、移行期にあたる障がい者の学びをサポートしている。発達的に考えると、この時期に多面的なプログラムを通して、豊かな生活を送る基礎を築くことは、人生において大切なことだが、もっと大切なことは、学び続けることである。健常な人は、自分の興味関心に応じて、カルチャーセンターや図書館等の施設を活用して学ぶことが可能である。しかし、障がい者は、何がしたいのか、どこへ行けば良いのか、誰に相談したら良いのか、そう簡単ではない。

L’s College おおさかでは、四年間の学びを提供しているが、それ以後についてどうするのか。我々にとっても大きな課題である。本校を修了あるいは卒業した学生は、次のステップとして、働くことを通じて社会に参加していくこととなる。その時に、自分自身を高める機会や、同じ興味関心を持った人と交流できる場や学びの場が必要になる。働く仲間とはまた異なる仲間が必要となる。そのための、プログラムと場の提供が、これからの「学びの場」には求められるのではないか。学ぶことは、よりよく生きることにつながる。社会で働くことを通じて、社会参加をしながら、なおかつ自分自身を高めるために、あるいは生活を豊かにするために、「学び続ける場」とプログラム構成が必要になってくる。

⑥生涯学習の場の創設

L’s College おおさかには、多面的なプログラムがある。文化的な側面としては、国語や数学、社会、理科、家庭といったプログラムを体験的に学習できる。また、芸術的な側面としては、音楽やものづくりといったプログラムがある。さらに体育といったスポーツ的な取り組みもある。つまり、現状のプログラムを活用しながら、必要に応じて修了生や卒業生を含めた障がい者へのカルチャーの場を提供できるノウハウがあると考えている。L’s College おおさかは、障がい者の学校から社会への移行期へのアプローチだけでなく、生涯学習の一端を担っていかなければならないと考えている。

ただ、それには、行政的な支援が必要であることは言うまでもない。L’s College おおさかが移行期から青年期、壮年期、高齢期へと幅を広げた学習の機会を提供していくこと、生涯学習の一端をいかに担っていくかは、今後の大きな課題である。

大阪知的障害者雇用促進建物サービス事業協同組合
（愛称：エル・チャレンジ）

〒540-0006　大阪市中央区法円坂1-1-35　大阪市教育会館
TEL　06-6920-3521　FAX　06-6920-3522
URL http://www.l-challeng.com

誰もが働いて幸せになる
エル・チャレンジのもやいなおし

二〇二一年十一月一日　第一刷発行

編著者　大阪知的障害者雇用促進建物サービス事業協同組合
発行者　川畑善博
発行所　株式会社 ラグーナ出版
〒八九二－〇八四七
鹿児島市西千石町三－二六－三F
電話 〇九九－二一九－九七五〇
URL https://lagunapublishing.co.jp
e-mail info@lagunapublishing.co.jp

装丁　山元由貴奈
印刷・製本　シナノ書籍印刷株式会社
定価はカバーに表示しています
乱丁・落丁はお取り替えします
ISBN978-4-910372-16-7　C0036